BRILLIANT BEETLES

きらめく甲虫

丸山宗利
Munetoshi Maruyama
(九州大学総合研究博物館)

ネイチャー&サイエンス／構成

幻冬舎

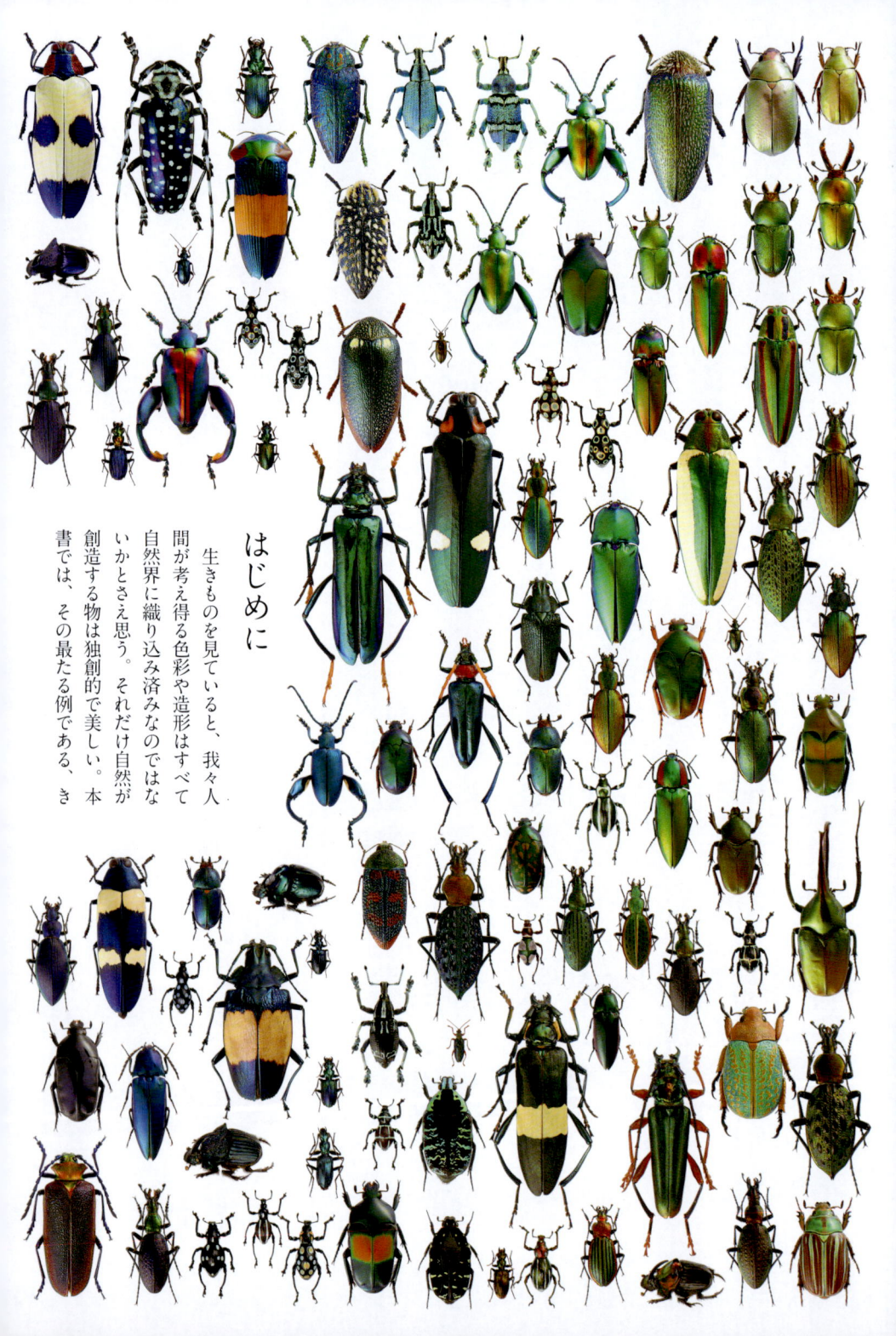

はじめに

生きものを見ていると、我々人間が考え得る色彩や造形はすべて自然界に織り込み済みなのではないかとさえ思う。それだけ自然が創造する物は独創的で美しい。本書では、その最たる例である、き

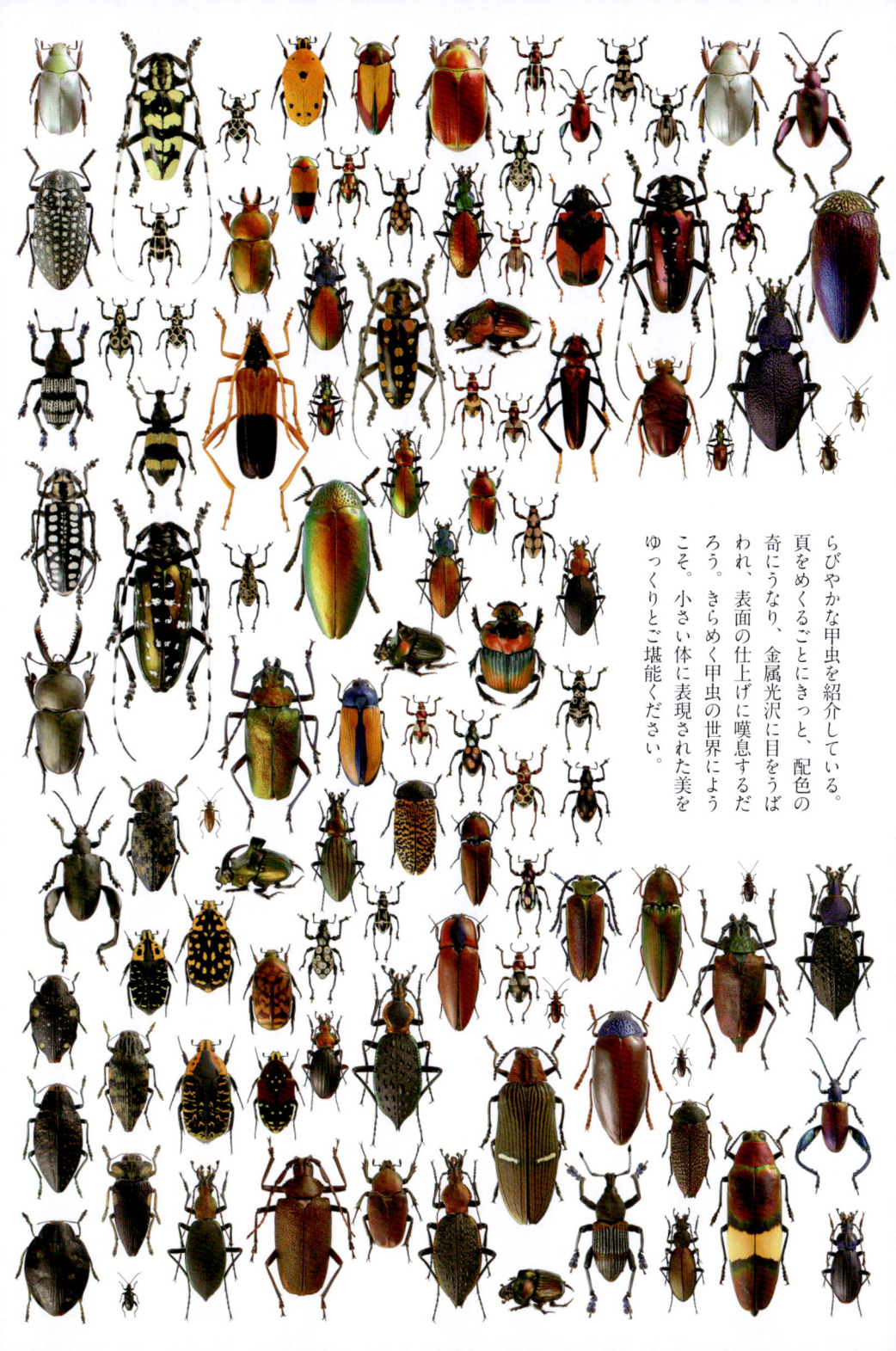

らびやかな甲虫を紹介している。頁をめくるごとにきっと、配色の奇にうなり、金属光沢に目をうばわれ、表面の仕上げに嘆息するだろう。きらめく甲虫の世界にようこそ。小さい体に表現された美をゆっくりとご堪能ください。

目次

はじめに —— 2

✽ コガネムシ
金亀子・黄金虫

ゴウシュウハナムグリ（豪州花潜）　東の果ての異文化 —— 8

マダガスカルハナムグリ（馬達加斯加花潜）　巨大島の豊かな色調 —— 10

プラチナコガネ（白金金亀子）　金よりも価値ある虫 —— 12

ニジダイコクコガネ（虹大黒金亀子）　掃き溜めに鶴とはこのこと —— 14

キンイロクワガタ（金色鍬形）　やさしい金属光沢 —— 16

✽ オサムシ
筬虫・歩行虫

コガネオサムシ（黄金筬虫）　寒い土地にもきらめきを —— 22

カブリモドキ（擬蝸牛被）　まるで南部鉄器 —— 24

オオルリオサムシ（大瑠璃筬虫）　北国の歩く宝石 —— 26

チリオサムシ（智利筬虫）　自己主張は色で —— 28

アトバゴミムシ（後歯塵芥虫）　枯れ木にひそむ原石 —— 30

【凡例】　　一般名
アカオビカタハリカナブン　　学名
Ischiopsopha jamesi var. *coerulea*
パプアニューギニア　32㎜
採集地　大きさ

カミキリムシ
天牛・髪切虫

ノコギリカミキリ（鋸天牛）　地球の裏側の例外 —— 66

アオカミキリ（青天牛）　花にさす光線 —— 68

ゴマダラカミキリ（胡麻斑天牛）　虫の領分 ヒトの領分 —— 70

ネクイハムシ（根喰葉虫）　湿原に光る朝露 —— 72

コガネハムシ（黄金葉虫）　見事な太ももを武器に —— 74

ゾウムシ
象虫

カタゾウムシ（硬象虫）　飛べなくていいから —— 52

ホウセキゾウムシ（宝石象虫）　岩絵具の色合い —— 60

タマムシ
吉丁虫・玉虫

ルリタマムシ（瑠璃吉丁虫）　まさしく高嶺の花 —— 36

フトタマムシ（太吉丁虫）　乾燥地の清涼剤 —— 38

ムカシタマムシ（昔吉丁虫）　原始から変わらない美意識 —— 40

カワリタマムシ（変吉丁虫）　派手さを秘めたいぶし銀 —— 42

オオアオコメツキ（大青叩頭虫）　才色兼備 —— 44

Column
甲虫って何？ —— 18
きらめく理由 —— 32
きらめく仕組み —— 48
きらめく擬態 —— 62
きらめく甲虫とヒト —— 76

Catalogue
タマムシ裏カタログ —— 46

学名索引 —— 78

コガネムシ

金亀子・黄金虫

Chafer beetle
Scarabaeidae

黄金虫は金持ちだ

詩人・野口雨情が作詞した日本の童謡「黄金虫（こがね）」にも歌われる身近な甲虫である。まるっこい体と、先が重なった板状になっている短い触角が特徴。コガネムシのなかまにはカブトムシやハナムグリの他、近いなかまにクワガタムシもいて、子どもたちに人気がある。夏の夜、窓を開けていると飛び込んでくるドウガネブイブイもコガネムシのなかまだ。

（メス） 実物大

本書で紹介するなかでは、もっとも身近な分類群の一つであろう。コガネムシのなかまは、実にさまざまな物を食料として利用している。葉をかじるもの、樹液をなめるもの、花粉を食べるもの、動物の糞を食べるものなどに大きく分けられ、食べ物のちがいが、口のつくりや体の形のちがいなどに反映されている。

特筆すべきは、糞を食べるコガネムシ（糞虫）である。糞虫は、甲虫の最大の特徴である硬い前翅の恩恵を最大限に利用している。例えば、糞虫ではよくあるこんな場面。糞の山をかき回している最中に危険が迫ったとき。前翅こそ糞で粘っているものの、内側に折り畳まれた後翅はきれいなままで、飛んで逃げるのに何の支障もない。

ちなみに、「黄金虫」で歌われている昆虫は、実はタマムシであるとか、ゴキブリであるとか、さまざまな説があるようだが、この本ではコガネムシのことにしておく。

カブトハナムグリ ♂
Theodosia viridiaurata
マレーシア・ボルネオ島　50㎜

触角は広げることができる

東の果ての異文化
ゴウシュウハナムグリ（豪州花潜）

バリ島から東の島々、ニューギニアとオーストラリア周辺は、近接する東南アジアとはまったくちがう独特の生物群がくらしている。その辺りを中心に生息するゴウシュウハナムグリも独特で、とくに先端が二股になることの多い頭部の形や、前胸中央部が後ろへ張り出すところは、他のハナムグリには見られない。色彩の傾向も、異国情緒あふれた異質な感じに思える。

二股になった頭部
前胸

アカオビカタハリカナブン
Ischiopsopha jamesi var. *coerulea*
パプアニューギニア　32㎜

ディクロプスノコバカナブン
Mycterophallus dichropus
パプアニューギニア　28㎜

黒紫の光沢がある

ガガティナカタハリカナブン
I. gagatina
パプアニューギニア　29㎜

アトキリツヤマルハナムグリ
P. truncatipennis
インドネシア・小カイ島　22㎜

ルターツヤマルハナムグリ
Poecilopharis ruteri
インドネシア・ハルマヘラ島　23㎜

8

ディベスカタハリカナブン
I. dives
インドネシア・ニューギニア島　29㎜

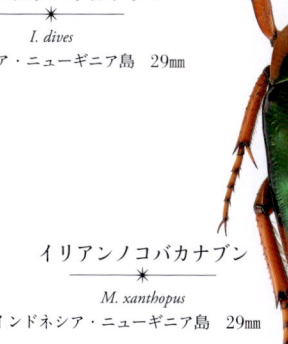

イリアンノコバカナブン
M. xanthopus
インドネシア・ニューギニア島　29㎜

脚の赤茶と
体の青緑光沢の
色合わせが粋

サルバドールアトムネカナブン
Lomaptera salvadorii
パプアニューギニア　30㎜

実物大

アカアシツヤマルハナムグリ
P. femorata
インドネシア・ニューギニア島　21㎜

巨大島の豊かな色調
マダガスカルハナムグリ（馬達加斯加花潜）

マダガスカルはアフリカ大陸の東方沖にある大きな島で、独自の進化を遂げた生物が多いことで有名である。マダガスカルハナムグリもその一例で、さざ波のような模様、黄色地の水玉模様など、ここでしか見られない独特の色調をもっている。

オオカノコマダガスカルハナムグリ
E. vadoni
マダガスカル　26mm

実物大

赤茶から黒への染め分けが見事

モンキマダガスカルハナムグリ
E. auripimenta
マダガスカル　25mm

ソメワケマダガスカルハナムグリ
Euchroea histrionica
マダガスカル　23mm

10

フトスジモンマダガスカルハナムグリ
E. abdominalis freudei
マダガスカル　25㎜

ホソコモンマダガスカルハナムグリ
E. clementi var. *riphaeus*
マダガスカル　24㎜

独特の色調は
同じ島の
ニシキオオツバメガという
蛾と共通していて不思議

風が水面に作った
さざ波のような
模様

サザナミマダガスカルハナムグリ
E. coelestis
マダガスカル　30㎜

ツヤサザナミマダガスカルハナムグリ
E. urania
マダガスカル　29㎜

11

アシグロキンコガネ
Chrysina curoei
コスタリカ　31mm

金よりも価値ある虫
プラチナコガネ（白金金亀子）

金属光沢をもつ甲虫は数あれど、金や銀の色をもつものは実はほとんどいない。プラチナコガネのなかまは、金、白金（プラチナ）、銀と、代表的な貴金属の色を網羅している珍しい甲虫だ。中南米の標高の高い地域に生息し、個体数は決して多くない。一部のものは高値で取引され、重さにすると金よりも高価である。

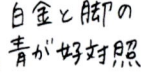
白金と脚の青が好対照

実物大

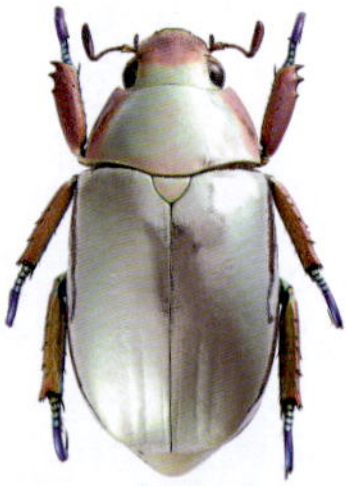

キンギンコガネ
C. chrysargyrea
コスタリカ　30mm

つま先の紫が高貴な印象。
個体によっては金色や
赤金色のものも

12

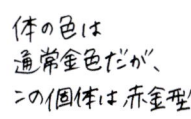
体の色は
通常金色だが、
この個体は赤金型

縦縞が
他とちがって
個性的

マダラウグイスコガネ
C. victorina
メキシコ　32㎜

ケンランキンコガネ
C. aurigans
コスタリカ　32㎜

ドウヘリキンコガネ
C. cupreomariginata
コスタリカ　22㎜

プラチナコガネ
C. optima
パナマ　26㎜

ホソスジウグイスコガネ
C. adelaida
メキシコ　28㎜

掃き溜めに鶴とはこのこと
ニジダイコクコガネ（虹大黒金亀子）

色彩の見事さに、複雑な立体的造形を兼ね備え、甲虫としての魅力が詰まった一群である。しかし驚くなかれ、これらは動物の糞や死骸に集まり、成虫も幼虫もそれを食べるのである。糞のようなものを食べてどうしてこんな虫が生まれるのだろう。汚物にまみれているのにどうしてこんなに魅力的なのだろうか。

ヨツバニジダイコクコガネ
P. quadridens
メキシコ　19㎜

ムネミドリニジダイコクコガネ
Phanaeus chryseicollis
メキシコ　21㎜

南米最南端の夕焼けはこんな感じだろうか

コウテイニジダイコクコガネ
Sulcophanaeus imperator
アルゼンチン　24㎜

実物大

14

アミュタオンニジダイコクコガネ

P. amithaon
メキシコ　25㎜

アメシストニジダイコクコガネ

P. amethystinus guatemalensis
グアテマラ　23㎜

戦国武将の意匠を凝らした兜が思い浮かぶ

ハナニジダイコクコガネ

P. floriger splendidulus
ブラジル　21㎜

アクマニジダイコクコガネ

P. demon
ニカラグア　22㎜

サファイアニジダイコクコガネ

Coprophanaeus saphirinus
アルゼンチン　21㎜

メネラオスニジダイコクコガネ

S. menelas
アルゼンチン　19㎜

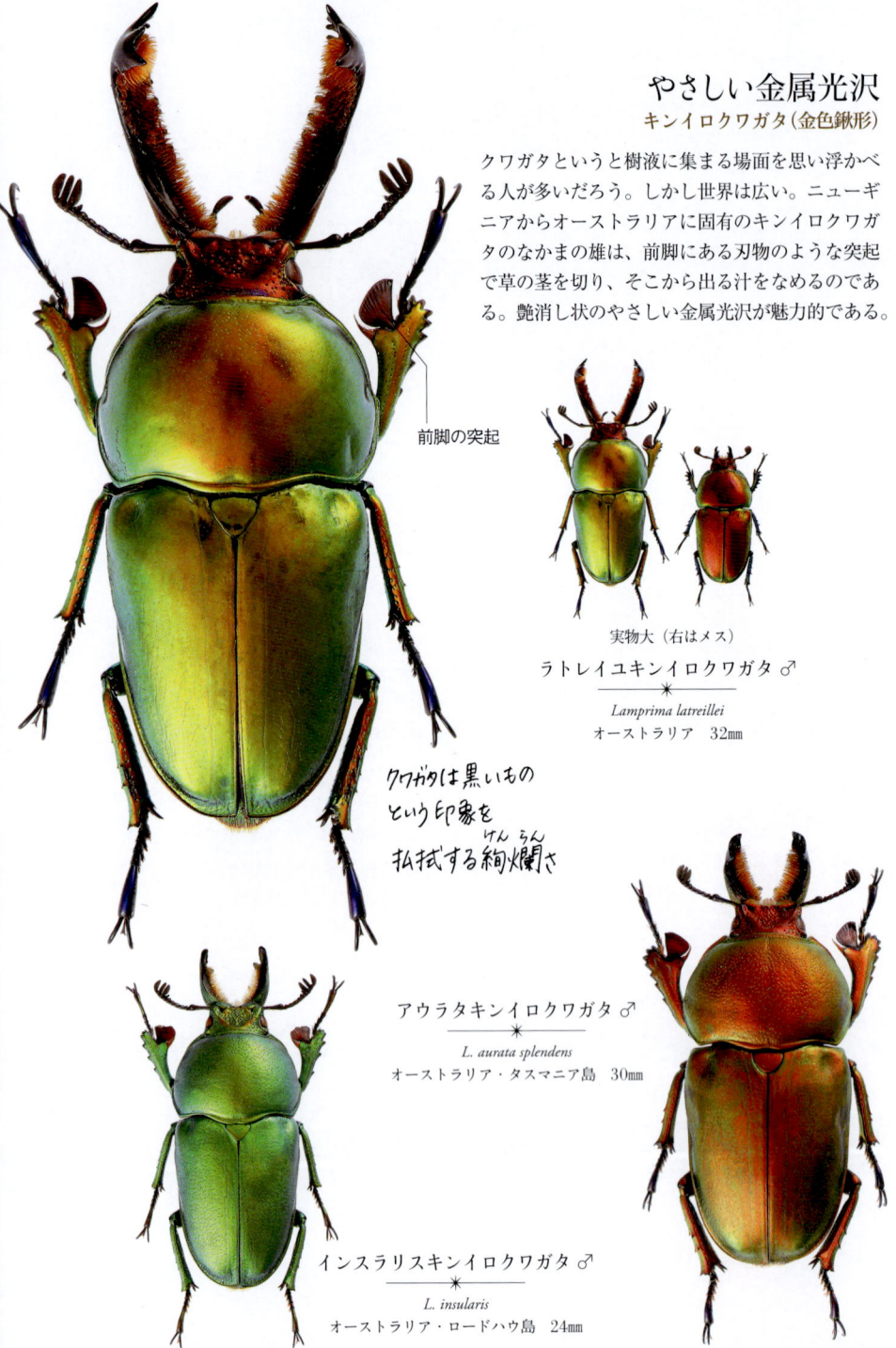

やさしい金属光沢
キンイロクワガタ（金色鍬形）

クワガタというと樹液に集まる場面を思い浮かべる人が多いだろう。しかし世界は広い。ニューギニアからオーストラリアに固有のキンイロクワガタのなかまの雄は、前脚にある刃物のような突起で草の茎を切り、そこから出る汁をなめるのである。艶消し状のやさしい金属光沢が魅力的である。

前脚の突起

実物大（右はメス）

ラトレイユキンイロクワガタ ♂
Lamprima latreillei
オーストラリア　32㎜

クワガタは黒いものという印象を払拭する絢爛さ

アウラタキンイロクワガタ ♂
L. aurata splendens
オーストラリア・タスマニア島　30㎜

インスラリスキンイロクワガタ ♂
L. insularis
オーストラリア・ロードハウ島　24㎜

前翅にはしわがある

オスメス共に派手好み

アエネアキンイロクワガタ ♂
L. aenea
オーストラリア・ノーフォーク島　27mm

アウラタキンイロクワガタ ♂
L. aurata aurata
オーストラリア　28mm

（メス）

実物大

渋い着こなしのオスにきらびやかなメス

パプアキンイロクワガタ ♂
L. adolphinae
パプアニューギニア　45mm

（メス）

Column
甲虫って何？

甲虫は地上でもっとも繁栄している生きものである。つまり、地上でくらす動物のなかでもっとも種数が多い。例えば、鳥は現在約9000種、哺乳類では約4000種が知られているが、昆虫全体は約100万種、そのうち甲虫だけでも約37万種と圧倒的で、そもそも甲虫だけが桁がちがうのだ。

甲虫は硬い前翅（鞘翅）が特徴で、これで膜状の薄い後翅や軟らかい腹部を鎧のように守っている。なじみ深いところだと、カブトムシやテントウムシが挙げられる。昆虫には4枚の翅があるのがふつうだが、甲虫ではそのうち前翅の2枚が厚く硬く変化している。もはや前翅に飛ぶ機能は残っておらず、前翅の下に収納された後翅の2枚だけで飛行する。飛んでいるとき、後翅は忙しなく動いているが、基本的に前翅は持ち上げたまま固定されている。しかし、機動性はない代わりに頑丈なこの前翅のおかげで、砂利の中をはい回っても傷がつかないし、捕食者の猛威に対しても無防備ではなくなった。また、前翅の下にできた空間が熱を伝えにくく、体から逃げる水分の蒸発を抑え、砂漠へと生活圏を広げることが可能になり、さらに、この空間に空気を備蓄して水中でくらす甲虫が現れた。

こうして甲虫は、地上のありとあらゆる環境に進出し、植物や動物、その死骸など、種によってさまざまな物を食べている。それゆえ、甲虫の体の大きさや形、色は実に多様である。手のひらほどの巨大な甲虫がいる一方で、米粒より小さい甲虫がいたり、宝石のように美しい甲虫がいるかと思えば、石や枝に似た地味で目立たない甲虫がいる。甲虫は硬い前翅とそれによる抜群の適応力で、繁栄という成功を手に入れた。

フトオビハデルリタマムシ
Chrysochroa fulgens ephippigera
タイ　34㎜

オサムシ
筬虫・歩行虫
Ground beetle
Carabidae

イボハダオサムシ
Carabus (Procerus) scabrosus schuberti
トルコ　50mm

地に足のついた生き方

昆虫愛好家でもあった漫画家・手塚治虫が、この虫の名に因んでペンネームをつけたのは有名な話である。だが、当のオサムシを見る機会は意外に少ない。それはかれらの生活の仕方に理由がある。

オサムシのなかまは夜な夜な食べ物を求めて落ち葉の下を走り回り、休むときは石の下などに潜りこむ。ほぼ地表付近だけでくらしていて、木に登ったり空中を飛んだりすることがあまりない甲虫だ。そんなくらしなものだから、後翅が退化してなくなり、飛べない種がオサムシには

獲物を捕らえる頑丈な大顎

実物大

　多い。明るい昼間に動き回るより、辺りが闇に包まれる夜に活動する種が多いのも、その習性から考えると自然だ。人目につきにくい理由がここにある。

　地球上で昆虫が大繁栄しているのは、進化の過程で翅を手に入れたことに端緒がある。当時、生命であふれかえっていた地上を脱出し、まだがら空きだった空中へと生活の場を広げることができたのだ。それからまた長い時を経て再び、地に足のついた生き方を選んだ昆虫がいることに多様性の面白さがある。

　同じオサムシ科のアトバゴミムシも、この章で紹介している。どちらも、他の昆虫やミミズなどをつかまえるのに地面や倒木の上を走り回るため、脚が細長い。

21

寒い土地にもきらめきを
コガネオサムシ（黄金筬虫）

きらびやかな甲虫というと、熱帯にいるものを想像する人が多いだろう。だが、日本よりさらに寒さの厳しいヨーロッパにも極彩色の甲虫はすんでいる。その代表がコガネオサムシである。このなかまは、どの種も光沢のある色彩をしていて、磨き込んだ金属のようなものも少なくない。細かな地域ごとに姿形が微妙に変化して面白い。

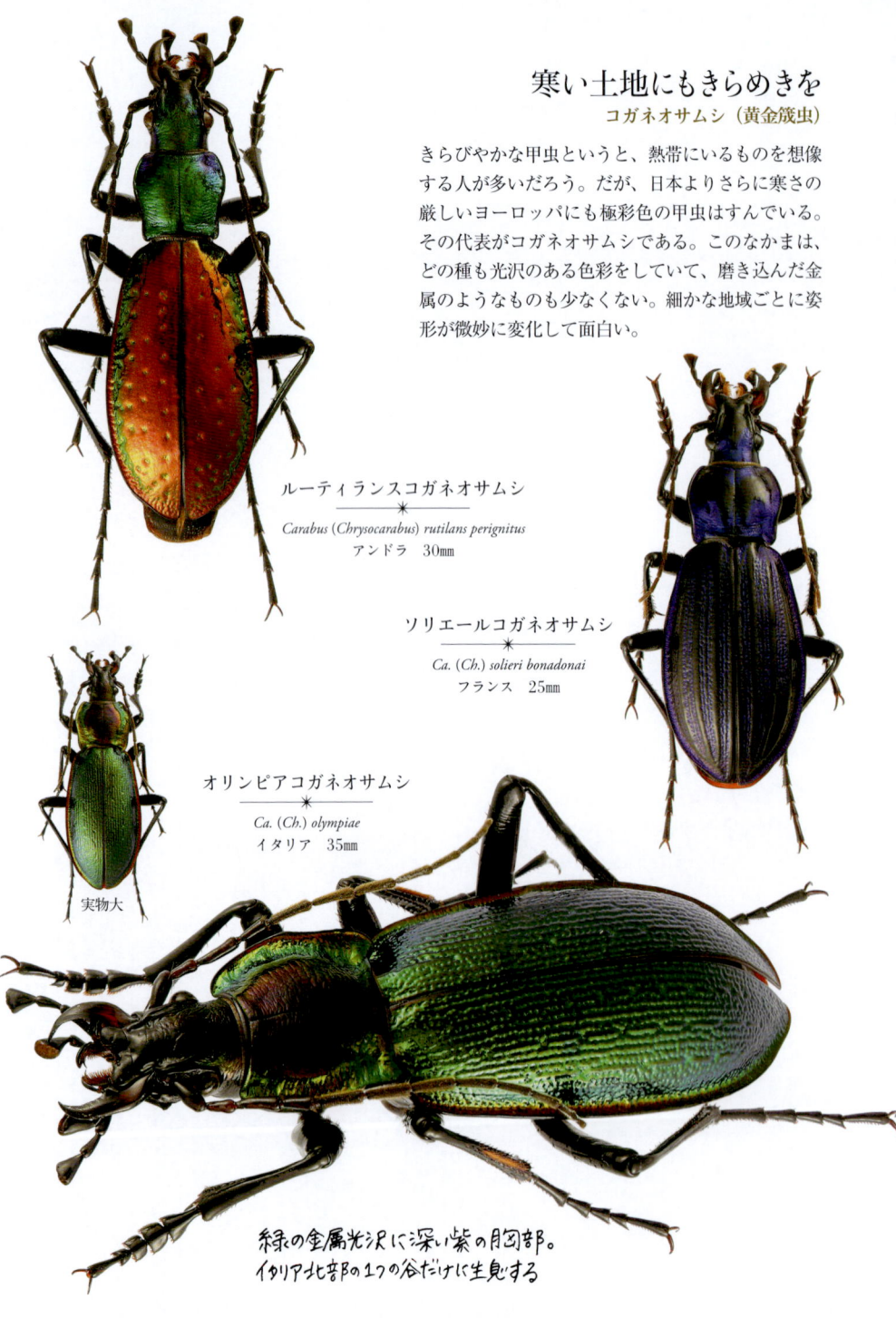

ルーティランスコガネオサムシ
Carabus (Chrysocarabus) rutilans perignitus
アンドラ　30mm

ソリエールコガネオサムシ
Ca. (Ch.) solieri bonadonai
フランス　25mm

オリンピアコガネオサムシ
Ca. (Ch.) olympiae
イタリア　35mm

実物大

緑の金属光沢に深い紫の胸部。
イタリア北部の１つの谷だけに生息する

縦縞に赤茶の縁取り。色彩の参考になりそう

イベリアコガネオサムシ
Ca. (Ch.) lineatus lineatus
スペイン　23㎜

実物大

鏡として使えそう

スプレンデンスコガネオサムシ
Ca. (Ch.) splendens
フランス　25㎜

青を取り入れたところが斬新

ヒスパヌスコガネオサムシ
Ca. (Ch.) hispanus
フランス　31㎜

コガネオサムシ
Ca. (Ch.) auronitens auronitens
フランス　24㎜

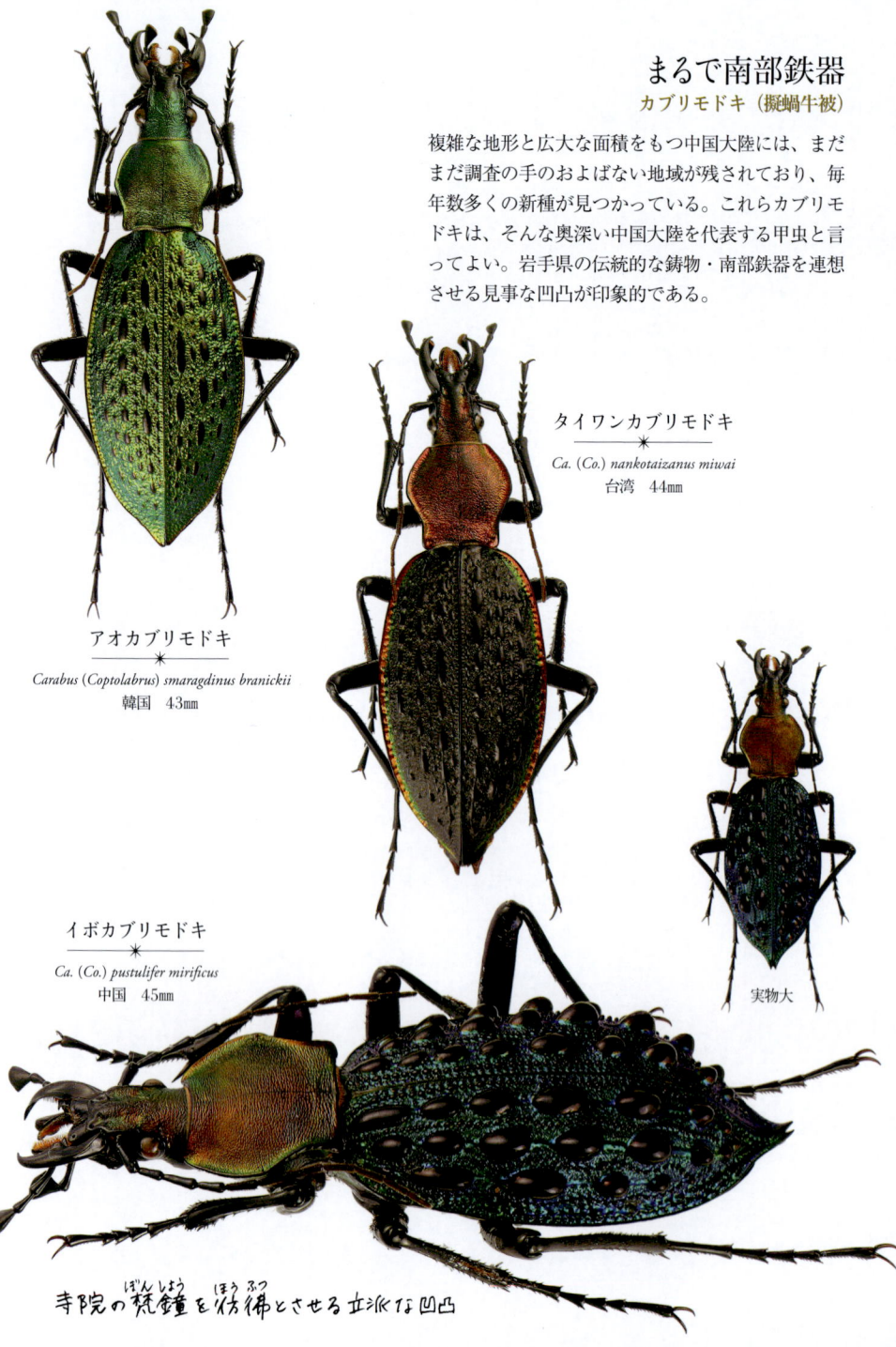

まるで南部鉄器
カブリモドキ（擬蝸牛被）

複雑な地形と広大な面積をもつ中国大陸には、まだまだ調査の手のおよばない地域が残されており、毎年数多くの新種が見つかっている。これらカブリモドキは、そんな奥深い中国大陸を代表する甲虫と言ってよい。岩手県の伝統的な鋳物・南部鉄器を連想させる見事な凹凸が印象的である。

アオカブリモドキ
Carabus (Coptolabrus) smaragdinus branickii
韓国　43mm

タイワンカブリモドキ
Ca. (Co.) nankotaizanus miwai
台湾　44mm

イボカブリモドキ
Ca. (Co.) pustulifer mirificus
中国　45mm

実物大

寺院の梵鐘を彷彿とさせる立派な凹凸

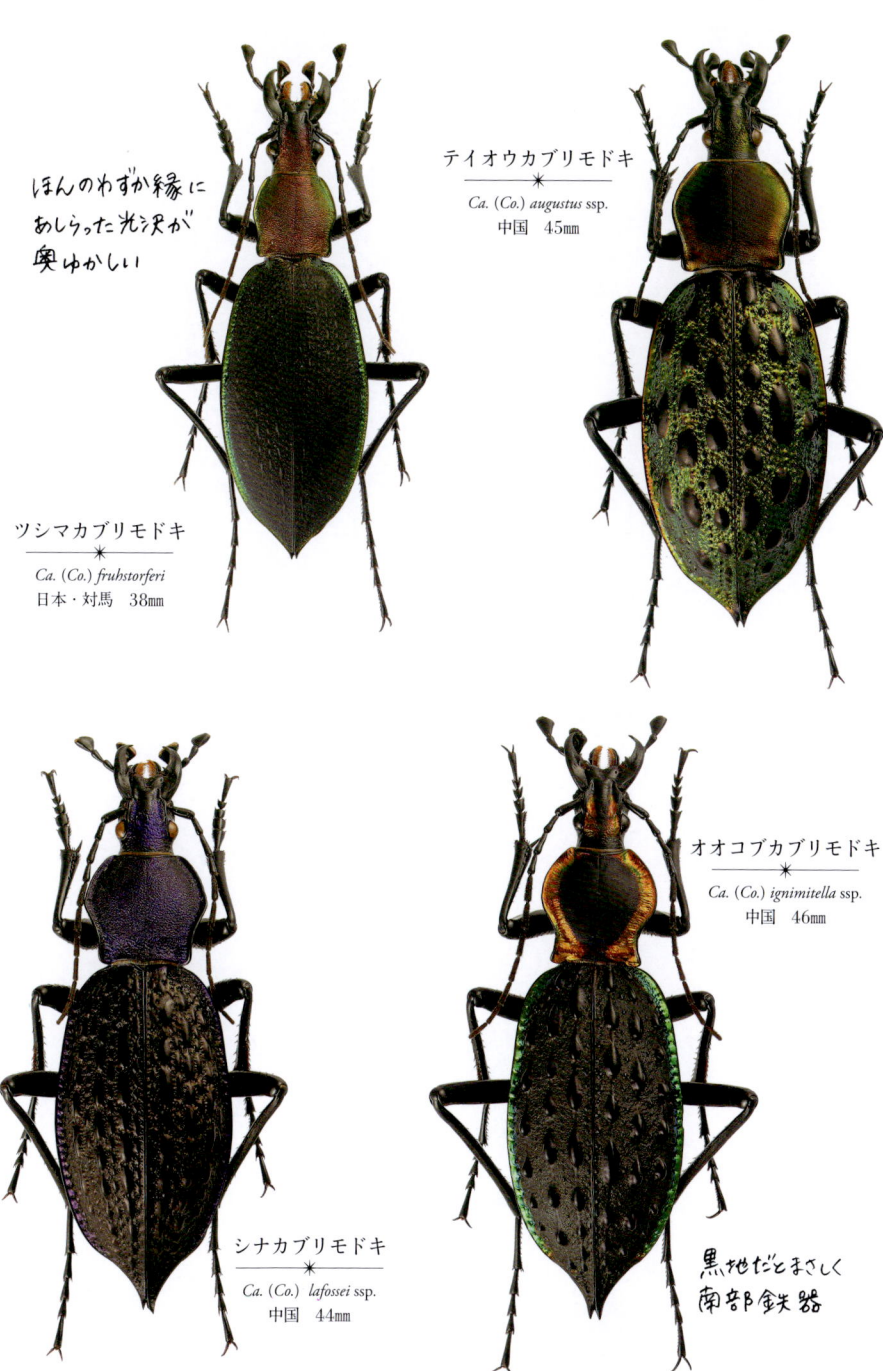

テイオウカブリモドキ
Ca. (Co.) augustus ssp.
中国　45㎜

ほんのわずか縁に
あしらった光沢が
奥ゆかしい

ツシマカブリモドキ
Ca. (Co.) fruhstorferi
日本・対馬　38㎜

オオコブカブリモドキ
Ca. (Co.) ignimitella ssp.
中国　46㎜

シナカブリモドキ
Ca. (Co.) lafossei ssp.
中国　44㎜

黒地だとまさしく
南部鉄器

25

北国の歩く宝石
オオルリオサムシ（大瑠璃筬虫）

日本の生物群は中国大陸の影響を強く受けている。とくに北海道はほんの2万年前まで大陸と地続きだったと言われ、大陸の生物群の特徴を色濃く残している。金属光沢をもつオオルリオサムシはまさにその代表で、地味なものの多い日本のオサムシにあって華と言え、北海道の各地で色や凹凸が変化する。近縁の分類群は極東ロシアから朝鮮半島、中国で多様化している。

実物大

北の大地に
これほど
きらびやかな昆虫が
いるなんて

オオルリオサムシ
Ca. (A.) gehinii gehinii
日本・北海道（札幌市）　35mm

オオルリオサムシ
Carabus (Acoptolabrus) gehinii nishijimai
日本・北海道（島牧村）　32mm

オオルリオサムシ
Ca. (A.) gehinii gehinii
日本・北海道（洞爺湖町）32㎜

オオルリオサムシ
Ca. (A.) gehinii konsenensis
日本・北海道（網走市）31㎜

オオルリオサムシ
Ca. (A.) gehinii shimizui
日本・北海道（神恵内村）30㎜

破線の刻印が
洗練された印象に

オオルリオサムシ
Ca. (A.) gehinii sapporensis
日本・北海道（様似町）29㎜

オオルリオサムシ
Ca. (A.) gehinii munakatai
日本・北海道（八雲町）30㎜

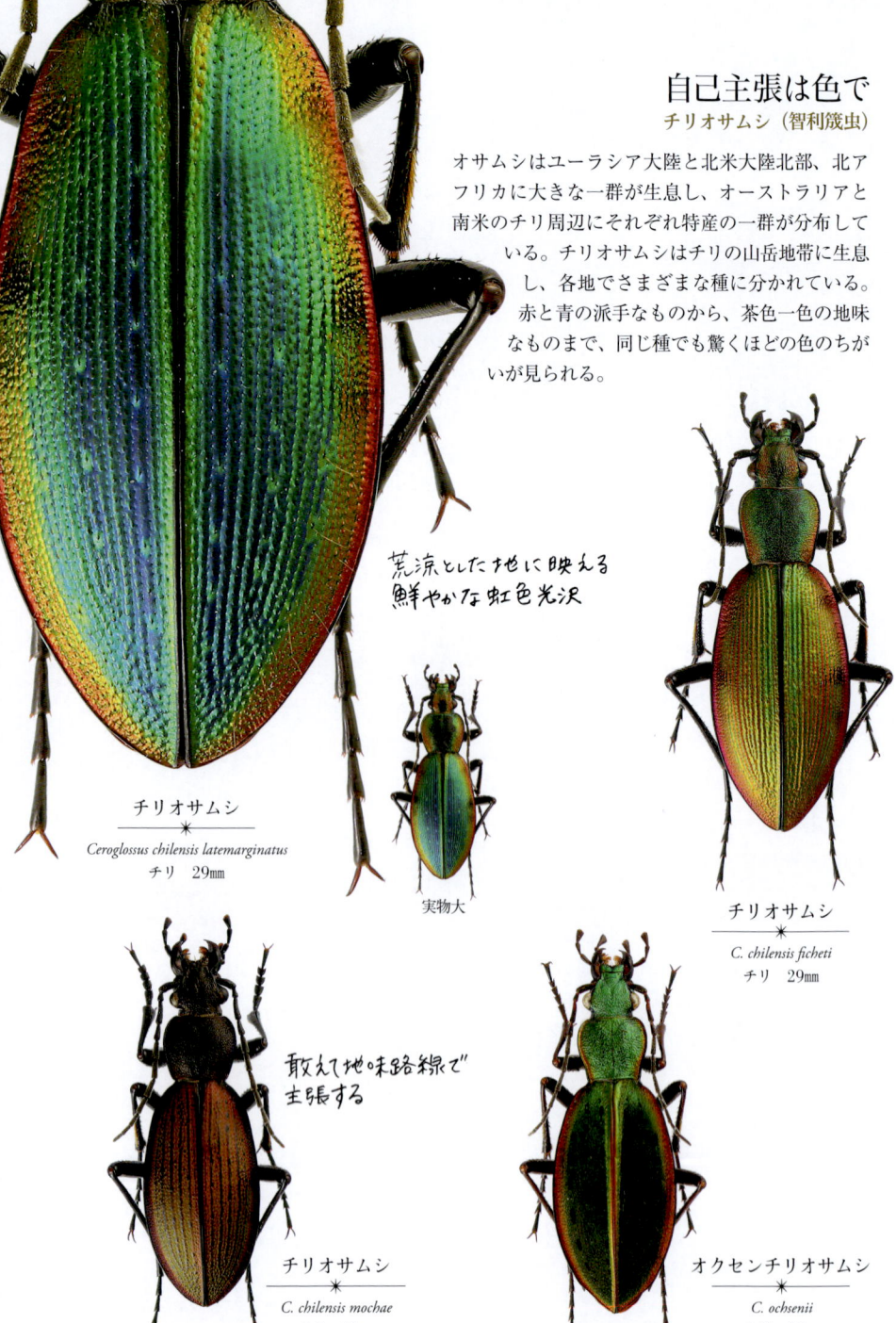

自己主張は色で
チリオサムシ（智利筴虫）

オサムシはユーラシア大陸と北米大陸北部、北アフリカに大きな一群が生息し、オーストラリアと南米のチリ周辺にそれぞれ特産の一群が分布している。チリオサムシはチリの山岳地帯に生息し、各地でさまざまな種に分かれている。赤と青の派手なものから、茶色一色の地味なものまで、同じ種でも驚くほどの色のちがいが見られる。

荒涼とした地に映える鮮やかな虹色光沢

チリオサムシ
Ceroglossus chilensis latemarginatus
チリ　29mm

実物大

チリオサムシ
C. chilensis ficheti
チリ　29mm

敢えて地味路線で主張する

チリオサムシ
C. chilensis mochae
チリ　25mm

オクセンチリオサムシ
C. ochsenii
チリ　25mm

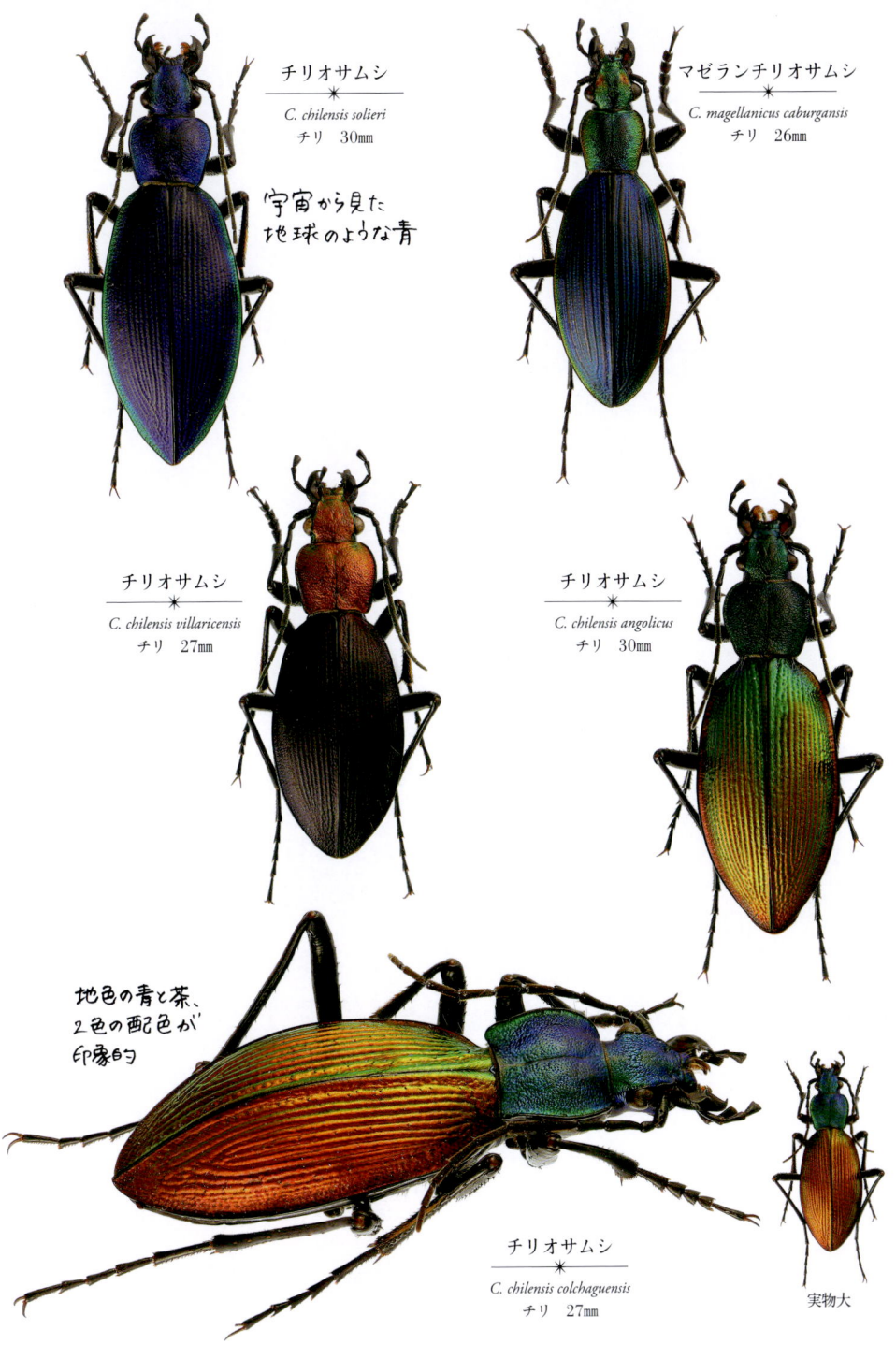

枯れ木にひそむ原石
アトバゴミムシ（後歯塵芥虫）

実はこれまで紹介したオサムシは例外的な大型で、オサムシ科の大部分は小型の甲虫である。それらは総じてゴミムシと呼ばれ、なかでも抜群の輝きを見せるのがアトバゴミムシだ。東南アジアの熱帯雨林で、夜間に枯れ木を見回ると見つかる。電灯に照らされたアトバゴミムシを見つけると、その輝きにハッとする。

キンヘリアトバゴミムシ
C. ignicinctus
日本・鹿児島県　12.6mm

墨が混ざったような青、青墨（せいぼく）

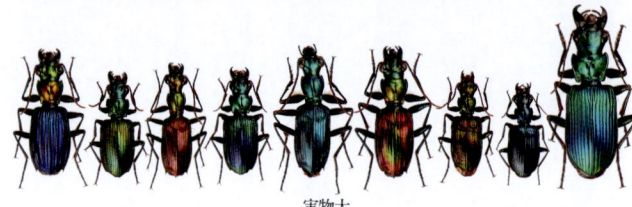

実物大

このなかまでは大きい方

ラオスオオアトバゴミムシ
Catascopus laotinus
ラオス　23mm

ニジモンアトバゴミムシ
C. presidens
マレーシア　17.5mm

迷彩柄のような複雑な色彩

ザウターアトバゴミムシ
C. sauteri
台湾　14.2mm

30

コアオアトバゴミムシ

C. facialis
ラオス　14.5mm

ボーレンホーベンアトバゴミムシ

C. vollenhoveni
インドネシア・バリ島　17.5mm

セラムアトバゴミムシ

C. agnathus
インドネシア・セラム島　14mm

ドウバネアトバゴミムシ

C. cupripennis
マレーシア・ボルネオ島　14.7mm

ニシキアトバゴミムシ

C. regalis
インド　16.8mm

青が群れ集まった
群青色に
心うばわれる

Column
きらめく理由

甲虫には、鮮やかな色や、きらきら輝く色のものが多くいる。それらの甲虫はたいてい、かんかん照りの明るい時間帯に活動するため非常によく目立つ。これでは、鳥やトカゲなどの敵に簡単に見つかってしまうのではないだろうか。四六時中、敵に襲われる危険がある自然界で、きらめくということはどういう意味をもつのだろう。

これにはいくつか理由がある。昼行性で目立つ色をした甲虫には、臭いにおいを出したり、苦い味がするなど、天敵に対して毒をもっているものが多い。食べてもおいしくないとか、毒をもっているんだということを、敵にはっきりと覚えてもらうために、派手な姿をしていると考えられている。赤地に黒の水玉模様が人気のテントウムシは、危険を感じると黄色い汁を出す。この汁は鳥にとってまずいらしく、一度嫌な思いをした鳥はそのことを覚えていて、次に見かけても食べなくなる。あの可愛いと思える姿も、敵に対する警告なのだ。また、鳥はふつう、光るものを警戒する習性があり、きらきら輝く甲虫は、天敵である鳥を牽制していると考えられる。

一方、一見目立つように思う金属光沢が、逆に隠蔽(いんぺい)の効果をもたらす場合がある。国土の大部分が温帯～冷帯に属する日本の気候ではわかりにくいかもしれないが、ぎらぎらとした強烈な日射しが降り注ぐ熱帯では、金属光沢が目立たないことがあるのだ。さらに、きらめくことは体温調節にも関係しているのではないかという考え方もある(P48)。

このように、きらめく理由は意外と複雑。4億年という、人類よりはるかに長い昆虫の歴史のなかで試され、精査されてきた珠玉の技がたくさん隠されている。

強烈な日射しが降り注ぐ熱帯では、金属光沢が案外目立たない。マレーシアのオオハビロタマムシ *Catoxantha opulenta*（上）、タイのヒゲナガオオルリタマムシ *Megaloxantha bicolor luodiana*（下／©林　正和）

タマムシ

吉丁虫・玉虫

Jewel beetle
Buprestidae

ヒラコブオオルリタマムシ
Megaloxantha mouhotii
タイ　61㎜

実物大

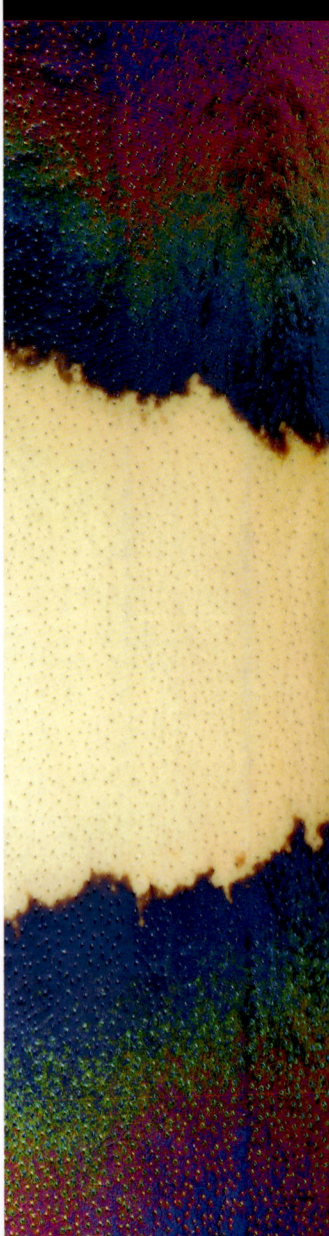

死してなお美しい

きらめく甲虫のなかでも、とくに秀逸な金属光沢を帯びるものが多い分類群。日本に生息するタマムシ（ヤマトタマムシ）は宝石に匹敵するほどのきらめきをもち、真夏の炎天下、太陽の光をきらきら反射させながら木の梢辺りを飛び回る。

この輝きは死後もなお保たれるため、装身具や装飾品にも使われた。奈良県の法隆寺の細工には、およそ5000匹分のタマムシの前翅（ぜんし）が使われている玉虫厨子（たまむしのずし）の細工には、およそ5000匹分のタマムシの前翅が使われている。飛鳥時代の最高傑作とされ、国宝の仏教工芸品だ。海外の例もある。

ベルギー王国最大の都市ブリュッセルにある王宮殿では、タマムシ140万匹分の前翅が、天井の一部とそこから下がるシャンデリアにすき間なく貼付けられている。この作品を作りあげた芸術家は、かの有名な生物学者ジャン＝アンリ・ファーブルのひ孫にあたる人物。

昆虫は寿命が短い生きもので、その多くは1年以内に生涯を終える。そんななか、アメリカに生息するアメリカアカヘリタマムシは、幼虫期が50年にもおよんだ記録がある。幼虫のときは枯れ木の内部でくらし、すみかを食べながら成長する。枯れ木には栄養が少ないため、こうした食性の昆虫は、得てして幼虫時代が長いのだが、水分や栄養の条件が悪いと、幼虫でいる期間がずいぶん延長されるのだ。

この章では、タマムシに雰囲気の似たコメツキムシも紹介する。どちらも細長い紡錘形(ぼうすいけい)の体をしている。

まさしく高嶺の花
ルリタマムシ（瑠璃吉丁虫）

東南アジアで多様化したタマムシの一群で、日本のタマムシもこのなかまである。多くの種は高い木の梢（こずえ）付近で活動し、決まった樹種の葉を食べる。東南アジアでそのような木を見上げると、高い梢に見事な種が飛んでいるのを見かけることがある。たいてい捕虫網も届かないほど高い場所で、指をくわえて眺めるほかない。

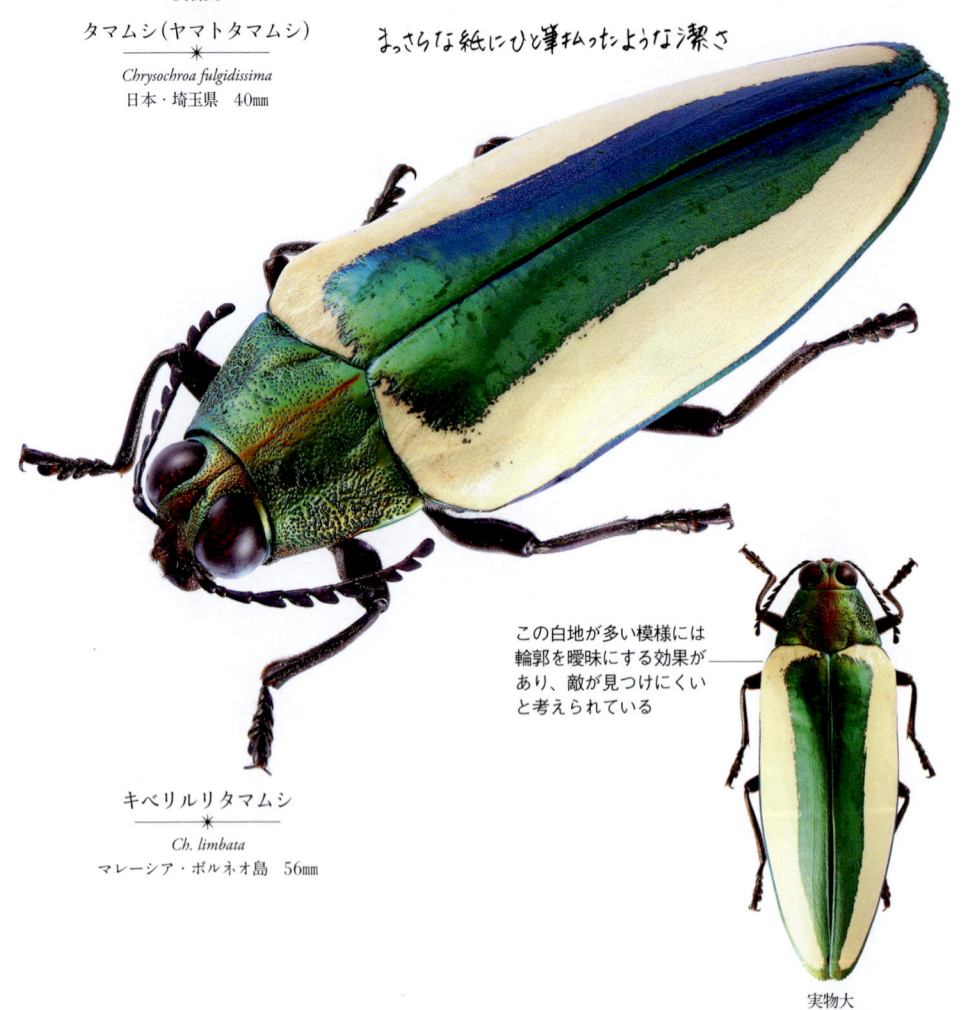

実物大

タマムシ(ヤマトタマムシ)
Chrysochroa fulgidissima
日本・埼玉県　40mm

まっさらな紙にひと筆払ったような潔さ

キベリルリタマムシ
Ch. limbata
マレーシア・ボルネオ島　56mm

この白地が多い模様には輪郭を曖昧にする効果があり、敵が見つけにくいと考えられている

実物大

キオビルリタマムシ
Ch. saundersii
インド　52㎜

キバネツマルリタマムシ
Ch. buqueti
マレーシア　50㎜

地を生かす
どこか達観した
華運び

ノバクフタキオビルリタマムシ
Ch. margotana
タイ　46㎜

ティオマンハビロタマムシ
Catoxantha nagaii
マレーシア・ティオマン島　50㎜

ほんの少し
地を生かす

乾燥地の清涼剤
フトタマムシ（太吉丁虫）

季節によって極端に乾燥する林や半砂漠など、乾いた土地にすむタマムシのなかまである。ずんぐりと重厚で、分厚い外骨格をもち、強い日射しや乾燥に耐えることができる。その姿はまるで鉱物のようでもある。毛深いものが多く、一部の種は筆のような毛の束が所々に生えるなど、奇怪な姿をしている。

色も形も熟したカカオの果実を連想させる

実物大

ムラサキフトタマムシ
Sternocora feldspathica
アンゴラ　43㎜

仙人のような味わい

アカゲケブカフトタマムシ
Julodis cirrosa hirtiventris
南アフリカ　33㎜

チャイロフトタマムシ
S. chrysis
インド　38㎜

アラメミドリフトタマムシ
S. pulchra
タンザニア　43㎜

38

毛が目立たないものもいる

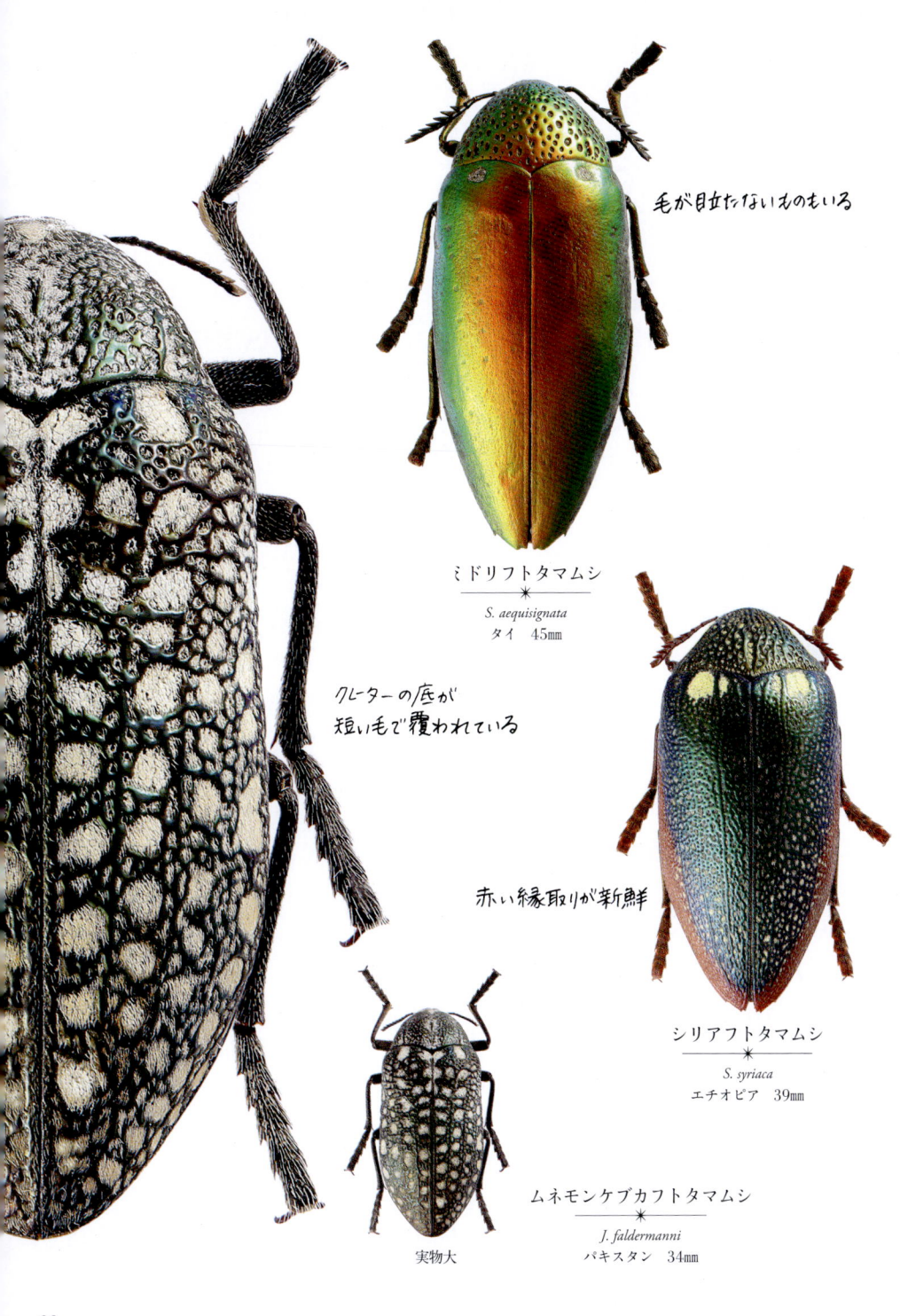

ミドリフトタマムシ
S. aequisignata
タイ　45㎜

クレーターの底が
短い毛で覆われている

赤い縁取りが新鮮

シリアフトタマムシ
S. syriaca
エチオピア　39㎜

ムネモンケブカフトタマムシ
J. faldermanni
実物大　　パキスタン　34㎜

原始から変わらない美意識
ムカシタマムシ（昔吉丁虫）

古い時代に他の大陸から孤立したオーストラリアとニューギニアでは、コアラやカンガルーのように原始的な生物が勢力を保っている。ムカシタマムシもその典型で、きわめて多くの種が生息している。原色を含む派手で変わった色調が、金属光沢主体の他の地域のタマムシとは対照的である。

アカモンアラメムカシタマムシ
Stigmodera roei
オーストラリア　31mm

キラキラアラメムカシタマムシ
S. sanguinosa
オーストラリア　28mm

エメラルドがふんだんに
埋め込まれているような

有段者が締める
黒帯のような
模様に
風格が漂う

実物大
クロオビハデムカシタマムシ
Metaxymorpha nigrofasciata
インドネシア・ニューギニア島　29mm

虫とは思えない
柄と色使い

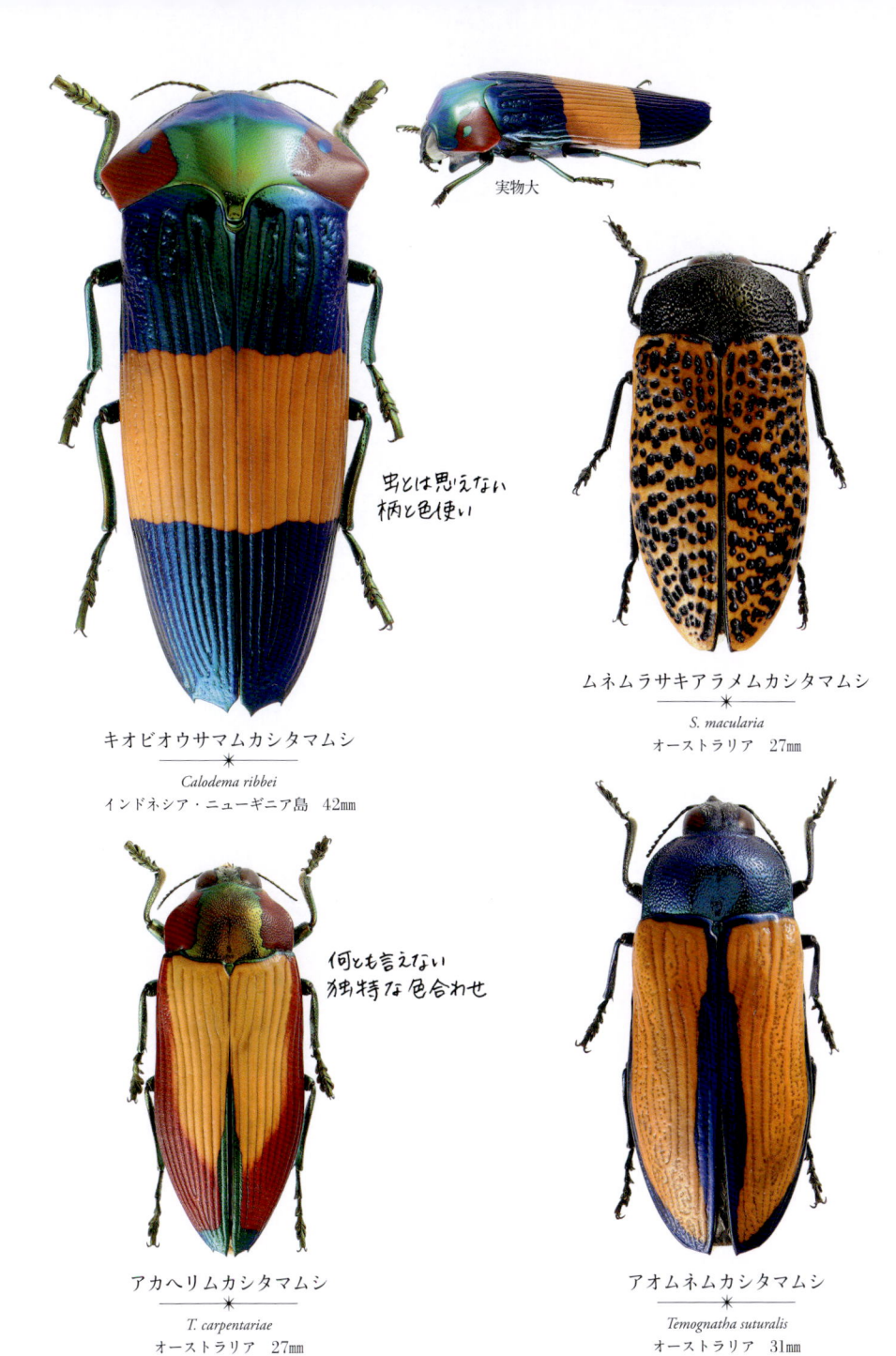

実物大

ムネムラサキアラメムカシタマムシ

S. macularia
オーストラリア　27㎜

キオビオウサマムカシタマムシ

Calodema ribbei
インドネシア・ニューギニア島　42㎜

何とも言えない
独特な色合わせ

アカヘリムカシタマムシ

T. carpentariae
オーストラリア　27㎜

アオムネムカシタマムシ

Temognatha suturalis
オーストラリア　31㎜

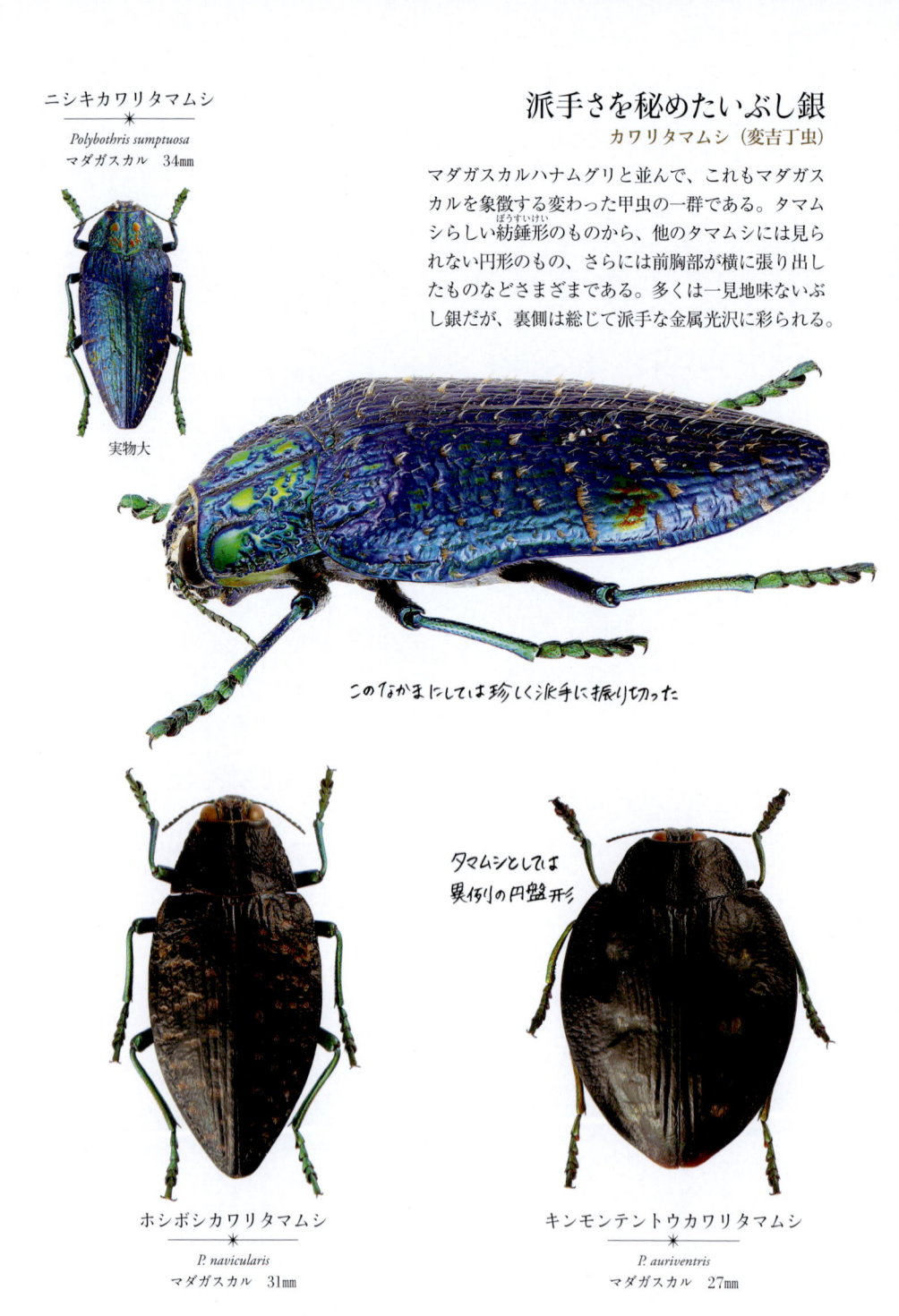

ニシキカワリタマムシ
Polybothris sumptuosa
マダガスカル　34mm

実物大

派手さを秘めたいぶし銀
カワリタマムシ（変吉丁虫）

マダガスカルハナムグリと並んで、これもマダガスカルを象徴する変わった甲虫の一群である。タマムシらしい紡錘形（ぼうすいけい）のものから、他のタマムシには見られない円形のもの、さらには前胸部が横に張り出したものなどさまざまである。多くは一見地味ないぶし銀だが、裏側は総じて派手な金属光沢に彩られる。

このなかまにしては珍しく派手に振り切った

タマムシとしては異例の円盤形

ホシボシカワリタマムシ
P. navicularis
マダガスカル　31mm

キンモンテントウカワリタマムシ
P. auriventris
マダガスカル　27mm

控えめながら
和風の洒落っ気を感じる

ツマアカテントウカワリタマムシ
P. auropicta
マダガスカル　25㎜

実物大

キマダラカワリタマムシ
Apateum zivettum
マダガスカル　29㎜

横に張り出した
前胸部

コガタミミズクカワリタマムシ
P. expansicollis
マダガスカル　30㎜

キンマダラカワリタマムシ
P. aurocyanea
フランス領・マヨット島　32㎜

才色兼備
オオアオコメツキ（大青叩頭虫）

コメツキムシはひっくり返るとパチンと音を立てて跳ね、元に戻ることができる。日本の町中でもさまざまなコメツキムシのなかまがふつうに見られる。これが八重山諸島以南の熱帯アジアに行くと、タマムシ並み、あるいはタマムシを凌駕する見事な色彩の種（りょうが）が見られるようになる。もちろん、ちゃんと跳ねる。

限りなく黒に近い
深緑が渋い

アイヒメオオアオコメツキ
C. sp.
マレーシア　24㎜

裏まで美しい。
脚の付け根にある
突起と溝を使って
跳ねる

アカミオオアオコメツキ
C. sp.
タイ　35㎜

実物大
ハバビロオオアオコメツキ
Campsosternus cyaniventris
マレーシア・ボルネオ島　41㎜

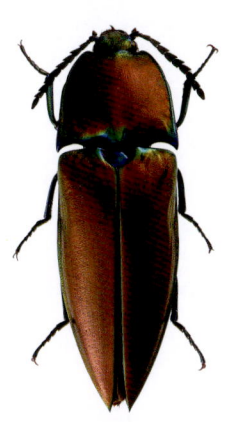

ドウイロオオアオコメツキ
―✦―
C. sp.
インドネシア・スマトラ島　27㎜

スジアカオオアオコメツキ
―✦―
C. sp.
インドネシア・ボルネオ島　38㎜

ノブオオオアオコメツキ
―✦―
C. nobuoi
日本・与那国島　33㎜

鮮やかな赤が新鮮

フルーストルファーオオアオコメツキ
―✦―
C. fruhstorferi
ベトナム　33㎜

ニジモンオオアオコメツキ
―✦―
C. rutilans
フィリピン・レイテ島　32㎜

ムネモンチャイロオオアオコメツキ
―✦―
C. vitalisianus
ベトナム　33㎜

タマムシ裏カタログ

机でも靴でも、普段目につかない裏側というのは、機能が重要視されることはあっても、ふつう見映えは考慮されない。裏側を見ることを想定していないのだろう。一方、昆虫の世界では、裏まで美しいものがいる。なぜそこまで気を使っているのかはわからないが、タマムシの裏側の色彩を、表と見比べつつじっくりご堪能ください。

1：ムラサキフトタマムシ *Sternocora feldspathica*（p.38）／2：キオビオウサマムカシタマムシ *Calodema ribbei*（p.41）
3：タマムシ（ヤマトタマムシ）*Chrysochroa fulgidissima*（p.36）／4：ニシキカワリタマムシ *Polybothris sumptuosa*（p.42）
5：アオムネムカシタマムシ *Temognatha suturalis*（p.41）

46

7 裏側に、より金属光沢がある不思議　6

9 簡素に潔く　8

表と同じ色を使っているが、まったくちがう仕上がりに

6：キンモントウカワリタマムシ *Polybothris auriventris*（p.42）／7：チャイロフトタマムシ *Sternocora chrysis*（p.38）
8：キバネツマルリタマムシ *Chrysochroa buqueti*（p.37）／9：ヒラコブオオルリタマムシ *Megaloxantha mouhotii*（p.34）

Column きらめく仕組み

昆虫の体は人とちがって体内に骨がなく、硬い表皮で体を支え、同時に、内側にある軟らかい内臓を守っている。甲虫の前翅も翅が硬くなったもので、表面を拡大して見ると、細かい穴が空いていたり、毛や、毛が変化した鱗毛（りんもう）が生えていたりする。カタゾウムシの体表面を拡大して見ると、細かい鱗毛が並んで模様になっているのがわかる。そのようすはまるで、きらめく宝石がちりばめられているようだ。タマムシの体表面はきらきらと光っていて、ぽつぽつとまるい小さな穴が空いている。

このきらきらと輝く色は、どのような仕組みになっているのだろう。実は、金属光沢をもつ鱗毛や体表は、光が当たることで初めて発色する。表面が特定の光の波長を反射する微細な構造になっていて、その構造がまた部位によって異なるために、さまざまな色が生まれるのだ。このような発色の仕組みを構造色といい、構造色は年月を経ても色あせることがない。甲虫によって、この構造色と色素の組み合わせによって、独特の色合いを形成している。

ところで昆虫は、人間のように体温調節ができず、周りの気温に影響を受けやすい生きものだ。例えば、熱帯の強い日射しを浴びて熱を吸収してしまうと、あっという間に体温が上昇してしまい危険である。そこで構造色には、太陽光を反射して、体温が上がり過ぎないように調節する意味もあるようだ。

チャイロフトタマムシ
Sternocora chrysis（p.38）

アシグロキンコガネ
Chrysina curoei（p.12）

キオビオウサマムカシタマムシ
Calodema ribbei（p.41）

ティオマンハビロタマムシ
Catoxantha nagaii（p.37）

カンターハデミドリカミキリ
Aphrodisium cantori（p.69）

オビカタゾウムシ
Pachyrhynchus orbifer

ゾウムシ

象虫
Weevil
Curculionidae

多様性の極み

　ゾウムシのなかまには、ゾウのような長い鼻をもつものが多い。この特徴からその名がつけられているのだが、実際には、伸びているのは鼻ではなく口（口吻）である。体長の倍以上あるとりわけ長い口吻をもつものもいるが、間延びした顔に見える程度でそれほど口吻が長くない種も多い。本書で紹介するゾウムシの口吻は短めだ。
　ゾウムシのなかまは世界でおよそ6万種が知られていて、甲虫で最大の分類群の一つだ。記載されていない種も含めれば、20万種はいると考

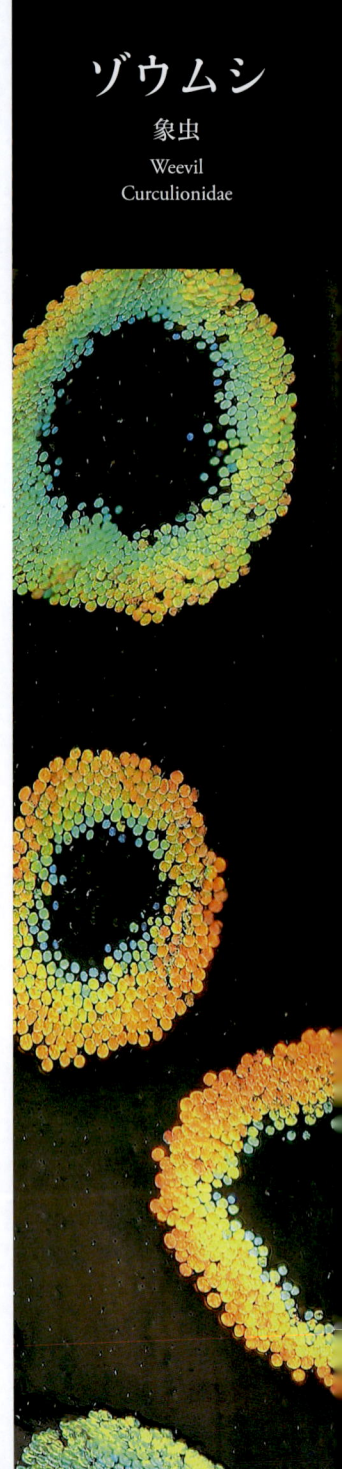

口吻

オオカワリカタゾウムシ
Pachyrhynchus sp.
フィリピン・ルソン島　16㎜

実物大

実は、長めの口吻にこそ、この多様性の秘密がある。ゾウムシの大部分は植物食で、幼虫は植物の実や茎の内部を食べる。親は産卵の際、口吻の先端にある顎でドリルのように穴を空け、その穴に産卵管を伸ばして木の実などの内部に卵を産みつける。敵の目から卵を隠すことができるその上、中で孵った幼虫はそのまま木の実を食べて育つことができるのだ。少数の卵を丁寧に産み、さまざまな植物に適応していくことで、現在のゾウムシの多様性が生まれたと考えられている。

飛べなくていいから
カタゾウムシ（硬象虫）

とにかく硬い。これが最大の特徴であるゾウムシ科の一群だ。台湾南部の離島に暮らすタオ族の間では、かつて大人が指でつぶせるかどうかで力比べをしたというから、半端な硬さではない。鳥やトカゲなどに食べられるのを防ぐためと考えられているが、カタゾウムシは硬さを手に入れた代償に、飛行能力を失った。美しい模様のものが多く、日本の美意識を象徴する伝統紋様を想起させるところが面白い。フィリピンを中心に分布し、八重山諸島（日本）、蘭嶼（台湾）、インドネシアなどの島々の一部にも分布する。

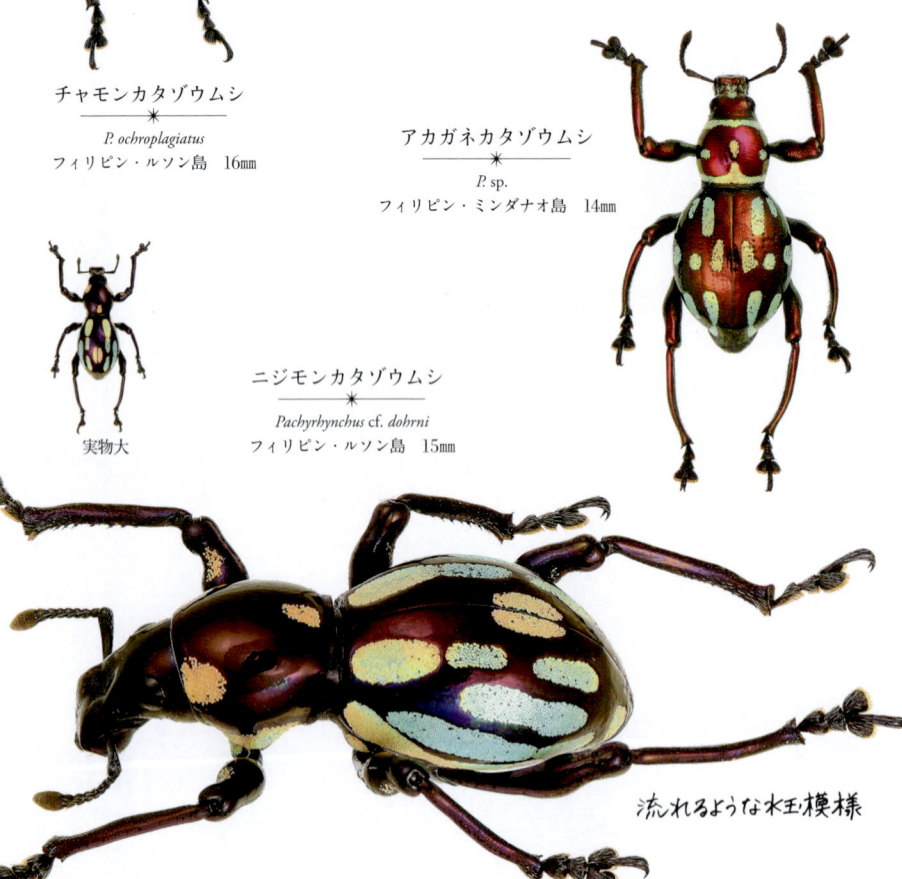

チャモンカタゾウムシ
P. ochroplagiatus
フィリピン・ルソン島　16mm

アカガネカタゾウムシ
P. sp.
フィリピン・ミンダナオ島　14mm

ニジモンカタゾウムシ
Pachyrhynchus cf. *dohrni*
フィリピン・ルソン島　15mm

実物大

流れるような水玉模様

［水玉紋］

水玉はカタゾウムシの模様の定番。控えめな小玉も粋だが、地色より面積の大きい水玉はお洒落感が増す。

トウモンカタゾウムシ
＊
P. sp.
フィリピン・ルソン島　16mm

クロライトカタゾウムシ
＊
P. chlorites
フィリピン・ルソン島　16mm

ミズモンカタゾウムシ
＊
P. congestus coerulans
フィリピン・ルソン島　15mm

ライヘルトカタゾウムシ
＊
P. reicherti
フィリピン・ミンダナオ島　15mm

ルバングカタゾウムシ
＊
P. sp.
フィリピン・ルバング島　16mm

［菊花紋］

水玉に縁取りがあって、菊花紋のよう。中心と縁で色のちがうところが、キク科の花に本当によく似ている。

ピンクの花が咲いたよう

実物大

ベニモンカタゾウムシ
P. taylori metallescens
フィリピン・ルソン島　16mm

アサギカタゾウムシ
Pachyrhynchus digestus
フィリピン・ルソン島　15mm

ハナカタゾウムシ
P. congestus congestus
フィリピン・ルソン島　17mm

ハナカタゾウムシ
P. congestus pavonius
フィリピン・ルソン島　17mm

ウツクシカタゾウムシ
P. perpulcher perpulcher
フィリピン・ルソン島　16mm

54

［蛇の目紋］

大小二つの同心円でできた模様。菊花紋の中心の色を抜いた型とも言えよう。それだけのことで、ずいぶん印象が変わる。

ハナカタゾウムシ
P. cf. *congestus*
フィリピン・ルソン島　16mm

カワリカタゾウムシ
P. sp.
フィリピン・ルソン島　18mm

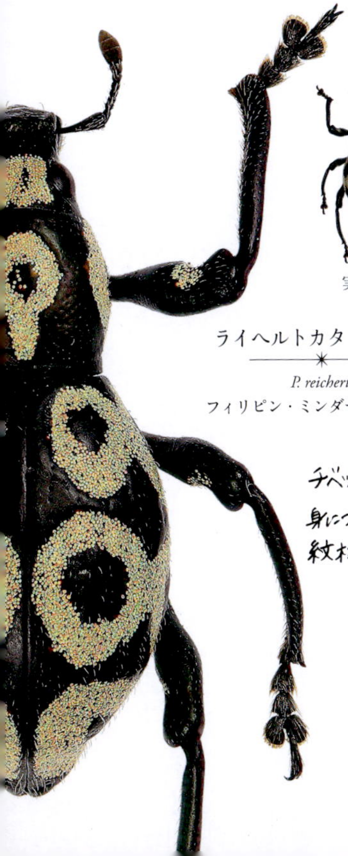

ホウセキカタゾウムシ
P. cf. *gemmatus*
フィリピン・ルソン島　17mm

実物大

ライヘルトカタゾウムシ
P. reicherti
フィリピン・ミンダナオ島　15mm

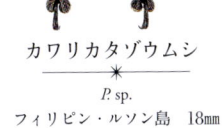

チベットの僧侶が身につける石・天珠（てんじゅ）の紋様にも似る

アルゴスカタゾウムシ
P. argus
フィリピン・ルソン島　15mm

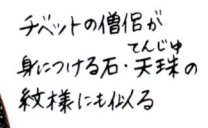

オオカワリカタゾウムシ
P. sp.
フィリピン・ルソン島　16mm

［石垣紋］

経緯に伸びる線が、石を積み上げたように見える。同じ種なのに、光沢があるものとないものがいる。胸と前翅で地色が異なるものもいて、実に個性的だ。

ヨコスジカタゾウムシ
P. cf. *gloriosus*
フィリピン・マリンドゥケ島　14mm

ファレラカタゾウムシ
Pachyrhynchus phaleratus
フィリピン・ルソン島　15mm

カガヤキカタゾウムシ
P. gloriosus
フィリピン・ルソン島　14mm

ネグロスカタゾウムシ
P. negrosensis
フィリピン・ネグロス島　12mm

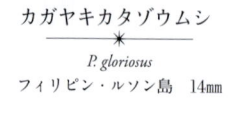

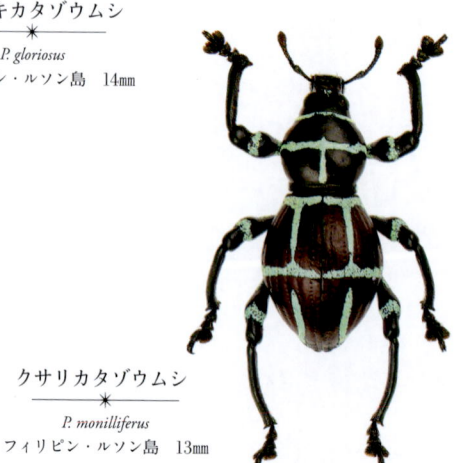

クサリカタゾウムシ
P. monilliferus
フィリピン・ルソン島　13mm

［網目紋］
曲線を交差させてつないだ模様。基本はくずさないが、細かい部分でそれぞれがお洒落を楽しんでいる。見逃しがちな脚の付け根も手を抜かない。

アミメカタゾウムシ
P. cf. *reticulatus*
フィリピン・ルソン島　14㎜

アカアシアミメカタゾウムシ
P. cf. *reticulatus*
フィリピン・ルソン島　13㎜

アミメカタゾウムシ
P. cf. *reticulatus*
フィリピン・マリンドゥケ島　12㎜

実物大

筋状の細かい
刻印も見られる

アカアミメカタゾウムシ
P. cf. *reticulatus*
フィリピン・ミンダナオ島　14㎜

［縞紋］

伝統紋様で縞といえば、江戸時代に大流行した粋な縦縞。カタゾウムシの縦縞模様も、それぞれ個性があって粋だ。細い縞、太い縞、かすれ具合が秀逸な縞。

カワユシカタゾウムシ
P. pulchellus
フィリピン・ルソン島　16㎜

シマシマウルワシカタゾウムシ
Pachyrhynchus cf. *amabilis*
フィリピン・ミンダナオ島　12㎜

トウスジカタゾウムシ
P. sp.
フィリピン・マリンドゥケ島　15㎜

ソラスジカタゾウムシ
P. caeruleovittatus
フィリピン・ミンダナオ島　13㎜

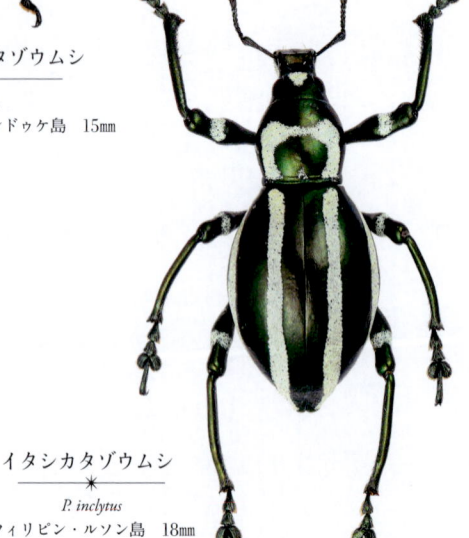

イタシカタゾウムシ
P. inclytus
フィリピン・ルソン島　18㎜

[三角紋]

三角形を幾何学的に組み合わせた伝統紋様で、枠線だけのものと塗りつぶしたものがある。カタゾウムシの三角模様は、塗りつぶし型が多い。

ヒロキカタゾウムシ
P. hirokii
フィリピン・ミンダナオ島　12mm

ニセウルワシカタゾウムシ
P. pseudamabilis
フィリピン・ミンダナオ島　12mm

ウルワシカタゾウムシ
P. amabilis
フィリピン・ミンダナオ島　13mm

ドウバネウルワシカタゾウムシ
P. cf. *amabilis*
フィリピン・ミンダナオ島　13mm

スジモンウルワシカタゾウムシ
P. cf. *amabilis*
フィリピン・ミンダナオ島　14mm

実物大

胸と前翅で地色が異なる

59

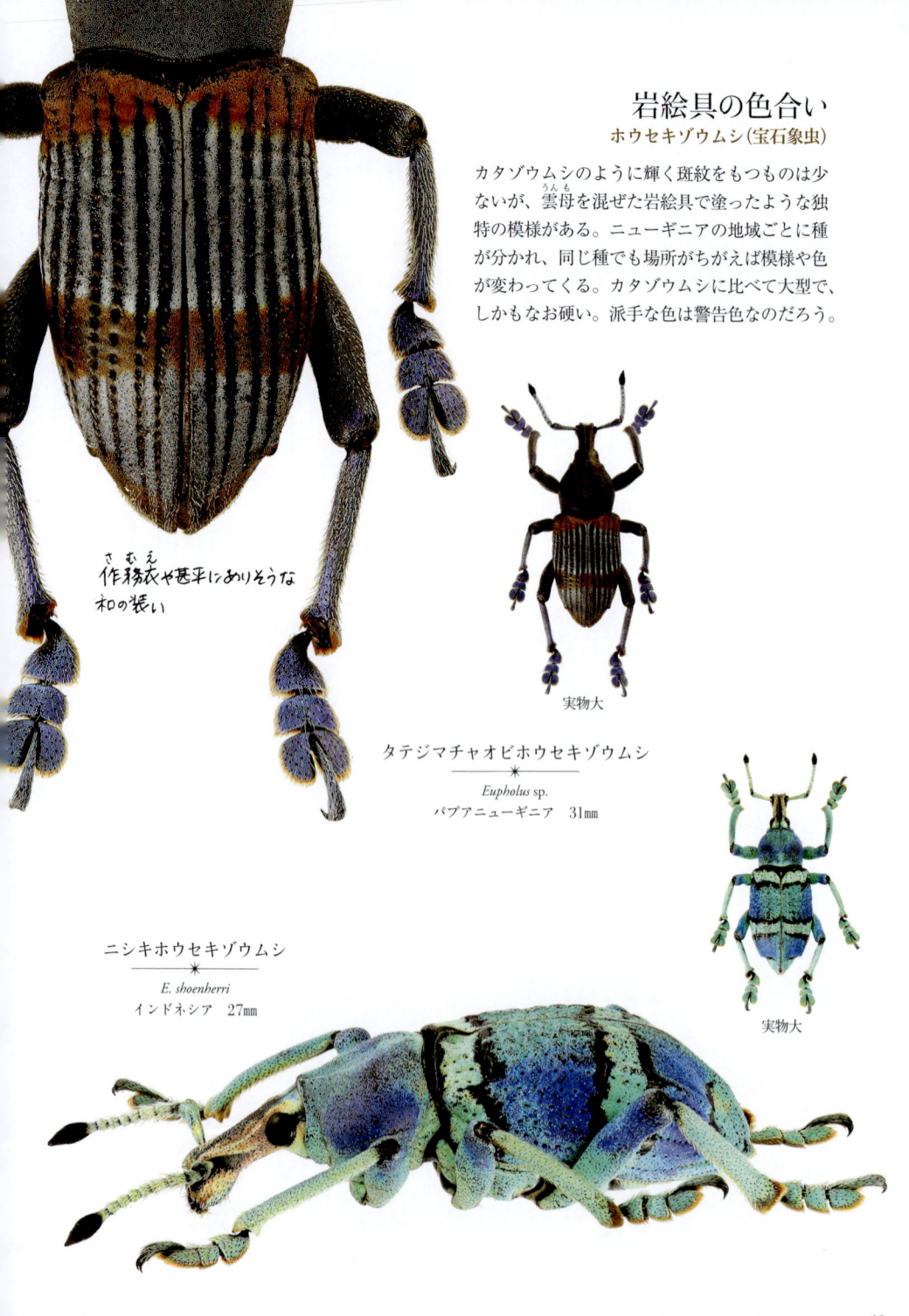

岩絵具の色合い
ホウセキゾウムシ(宝石象虫)

カタゾウムシのように輝く斑紋をもつものは少ないが、雲母を混ぜた岩絵具で塗ったような独特の模様がある。ニューギニアの地域ごとに種が分かれ、同じ種でも場所がちがえば模様や色が変わってくる。カタゾウムシに比べて大型で、しかもなお硬い。派手な色は警告色なのだろう。

作務衣や甚平にありそうな和の装い

実物大

タテジマチャオビホウセキゾウムシ
Eupholus sp.
パプアニューギニア 31mm

ニシキホウセキゾウムシ
E. shoenherri
インドネシア 27mm

実物大

白地に黒の刻印が
小鹿田焼の削り紋様にそっくり

明るいターコイズブルーが
まさに装飾品のよう

シロオビホウセキゾウムシ
E. albofesciatus
パプアニューギニア　29mm

ヒトスジホウセキゾウムシ
E. lorioe
パプアニューギニア　26mm

キラモンホウセキゾウムシ
E. browni
パプアニューギニア　22mm

和紙で作った
ちぎり絵のような風合い

カワリホウセキゾウムシ
E. bennetti
パプアニューギニア　25mm

フトキオビホウセキゾウムシ
E. sp.
パプアニューギニア　27mm

Column
きらめく擬態

甲虫は敵に食べられないよう、さまざまな手段で防衛している。まずは鎧のような硬い体。それから、毒があることを派手な見た目で宣伝したり、逆に周りの風景に紛れて隠れてしまう防衛法もある。あの手この手で敵をだますが、もっとも基本的な戦略が「擬態」である。

擬態というのは、生物が他の生物の形や色、振る舞いなどを真似することである（葉や樹皮、動物の糞など無生物を真似ることもある）。その出来映えは、才能あふれる画家の作品のように完成度の高いものもある。しかし、そうなものから、幼児の絵のように拙く、すぐにばれてしまう真似をしているとも思うこと自体、人間側の勝手な想像でしかないことも気に留めておいてほしい。

さて、真似される側（モデル）を真似する理由が想像できる。モデルのなかには体内に毒を溜め込んでいるものがいて、自分に毒があることを知らせるために派手な色彩をしているものが多い。一方、真似している側が毒をもっていることは少なく、モデルに擬態することで、ちゃっかり自分も毒もちのように見せかけることができる。真似されることが多い昆虫にハチとアリがいる。どちらも、刺したりかんだりして嫌われているため、擬態のモデルとしては人気が高い。黄色と黒の縞模様の虫が飛んできたら、反射的に手や首を引っ込めてしまうが、その多くはハチではなかったりする。

この本で紹介した甲虫のなかではとくに、硬くて食べにくいカタゾウムシが、モデルとして他の昆虫によく真似をされる。カタゾウムシの真似をする昆虫のなかでも、カタゾウカミキリの擬態は巧妙だ。この職人技をじっくりと見比べてほしい。見分ける秘訣は、触角と肩だ。カタゾウカミキリはカミキリムシの特徴である長い触角をそのままにしているし、飛べないカタゾウムシがなで肩なのに対して、カタゾウカミキリは飛ぶための筋肉が肩についている。もちろん、カタゾウムシのように硬くはない。

肩

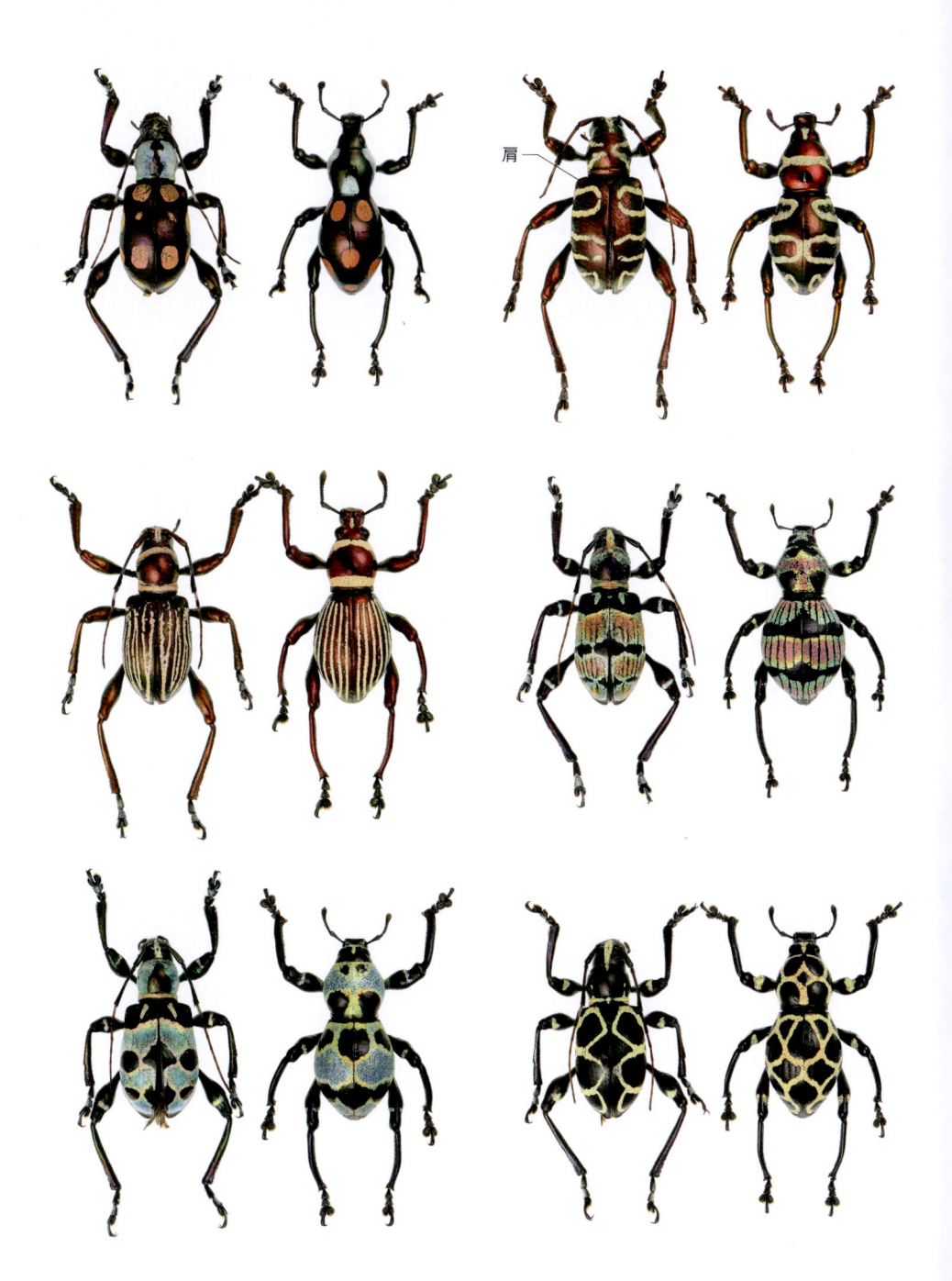

それぞれ、左側が真似をしているカミキリムシ（カタゾウカミキリ属 *Doliops*）で、右側がモデルのカタゾウムシ（カタゾウムシ属 *Pachyrhynchus*）

カミキリムシ
天牛・髪切虫
Longhorn beetle
Cerambycidae

無用の長物ではない

まず目に飛び込んでくるのが長くしっかりとした触角だ。カミキリムシは、この特徴を表した別名をもっている。漢語の「天牛」は、長い触角を牛の角に見立てた呼び名で、空を飛ぶ牛という意味。「髪切虫」は、もう一つの特徴である鋏のような大顎のようすから付けられた名だ。大顎は、成虫が木や草を食べる種で発達している。

触角が長いと書いたが、なかには体長の3倍以上あるものもいて、いくらなんでも邪魔ではないかと思う。けれども、それなりに何か重要な役

（オス）　実物大　（メス）

昆虫の触角の働きは嗅覚と触覚であるが、カミキリムシの触角は、多くの種でメスよりオスの方が長い。このことから、広い森で同種のメスのにおいを感知するために触角が発達したと考えることができる。とくに夜行性の種では、視覚より嗅覚・触覚が非常に重要であることが想像できる。実際、昼行性の種より夜行性の種の方が、触角が長い傾向にある。また、メスの触角もある程度長いことは、産卵用の植物を探し出すためと説明できる。触角はとても大事な道具なのだ。幼虫から成虫に変身する蛹時代には、長い触角をもつ種ではそれをくるくると几帳面に巻き、傷つかないよう大事に収納している。

この章では、カミキリムシに近いハムシも紹介している。比較的小型の種が多く、光沢のある美しいものが少なくない。

割があるのだろう。

オオチリカミキリ♀
Cheloderus childreni
チリ　41mm

大顎

触角

※オオチリカミキリはチリカミキリ科（Oxypeltidae）とされることもあります。

65

地球の裏側の例外
ノコギリカミキリ（鋸天牛）

原始的なカミキリムシのなかまで、熱帯地方を中心に世界じゅうに広く生息する。アジアやアフリカでは、黒か茶色の地味な種がほとんどであるが、南アメリカに生息する種には色鮮やかなものが少なくない。このなかまの大部分は夜行性だが、これら派手な種は昼間に活動しているのを見かけることがある。

ブロンズノコギリカミキリ
Pyrodes nitidus
ブラジル　37㎜

左下の写真と同じ個体。
角度によってちがう色に見える

実物大

ブロンズノコギリカミキリ
Py. nitidus
ブラジル　40㎜

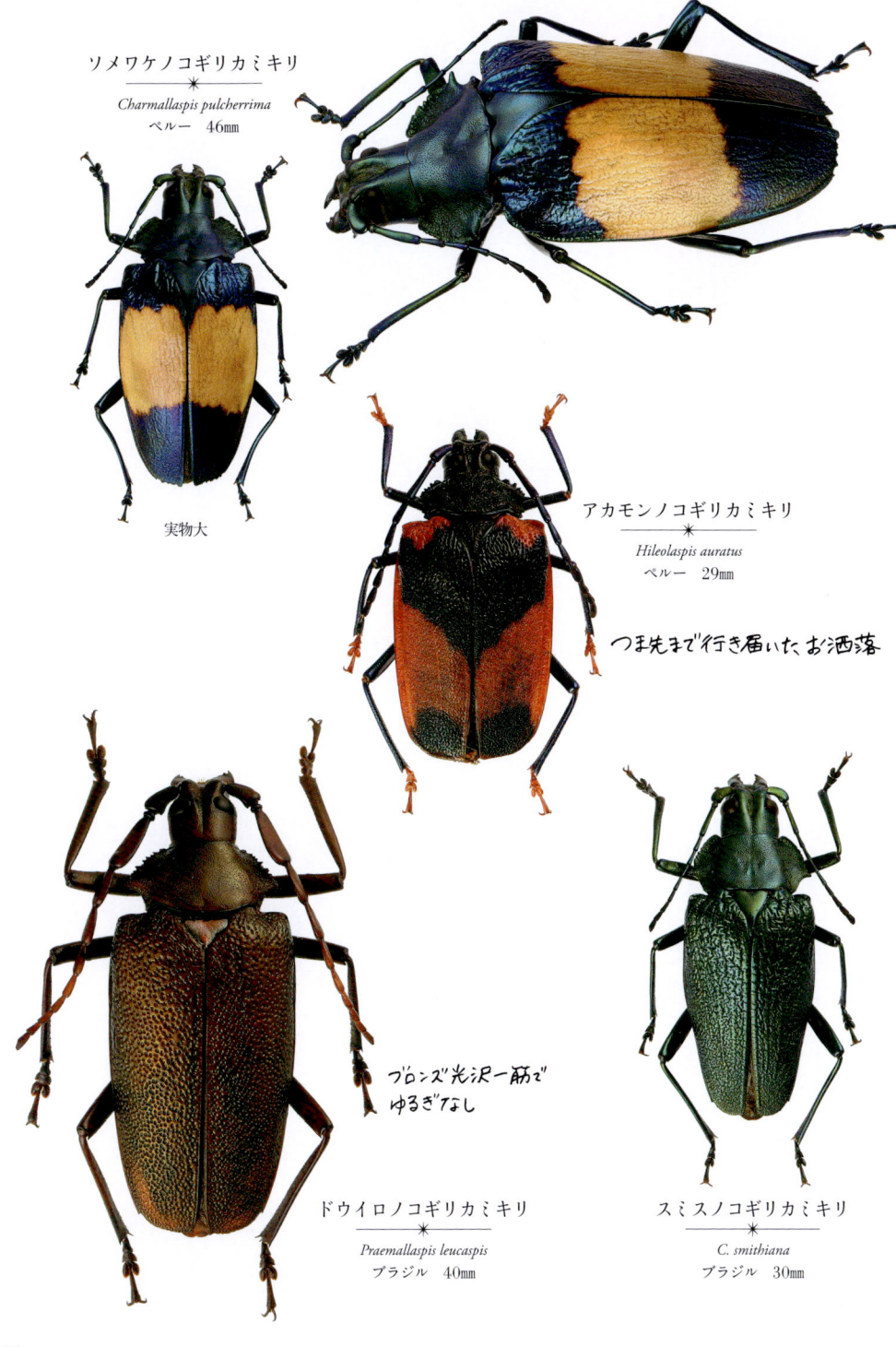

ソメワケノコギリカミキリ
Charmallaspis pulcherrima
ペルー　46mm

実物大

アカモンノコギリカミキリ
Hileolaspis auratus
ペルー　29mm

つま先まで行き届いたお洒落

ブロンズ光沢一筋で
ゆるぎなし

ドウイロノコギリカミキリ
Praemallaspis leucaspis
ブラジル　40mm

スミスノコギリカミキリ
C. smithiana
ブラジル　30mm

花にさす光線
アオカミキリ（青天牛）

つかまえると独特のにおいを出す。麝香のように香り高いものから、何とも言えない甘ったるい悪臭まで、さまざまである。いずれにしても鳥などの捕食者に嫌われるのであろう。派手な色彩は警告のためと考えられる。多くの種は高い木の花に集まり、なかでも白い花のまわりを飛ぶようすは、花に強烈な光線がさすようで、見つけると胸が高鳴る。

実物大

オオルリタマムシカミキリ
Huedepohliana masidimanjuni
マレーシア・ボルネオ島　58mm

苔色に一筋の帯。
オオルリタマムシのなかま(p.34)に
擬態している

モエサシアオカミキリ
Aphrodisium semignitum
フィリピン・バシラン島　33mm

ムネアカキンケアオカミキリ
Pachyteria ruficollis
マレーシア・ボルネオ島　36mm

68

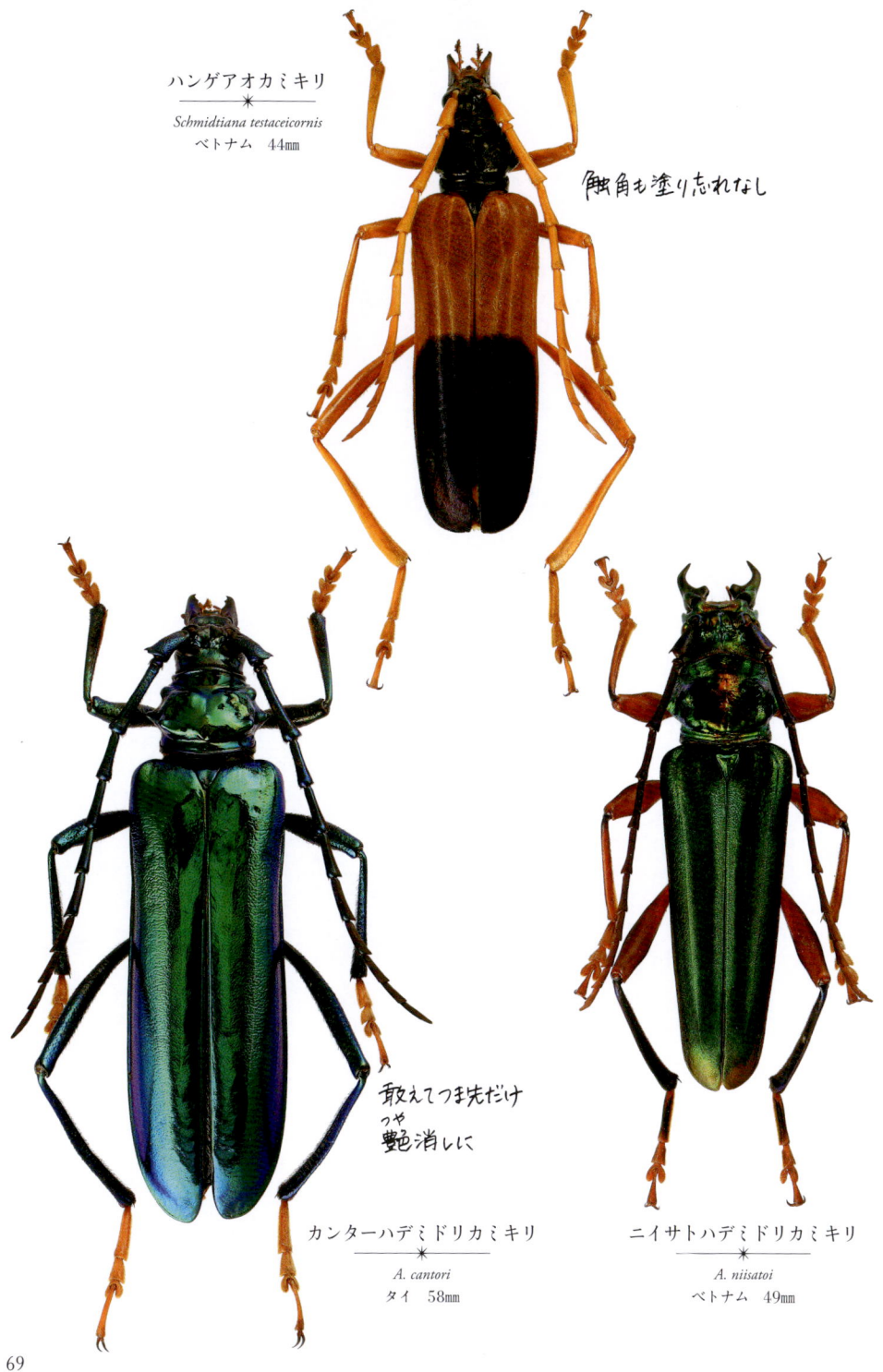

ハンゲアオカミキリ
Schmidtiana testaceicornis
ベトナム　44㎜

触角も塗り忘れなし

敢えてつま先だけ
つや
艶消しに

カンターハデミドリカミキリ
A. cantori
タイ　58㎜

ニイサトハデミドリカミキリ
A. niisatoi
ベトナム　49㎜

虫の領分 ヒトの領分
ゴマダラカミキリ（胡麻斑天牛）

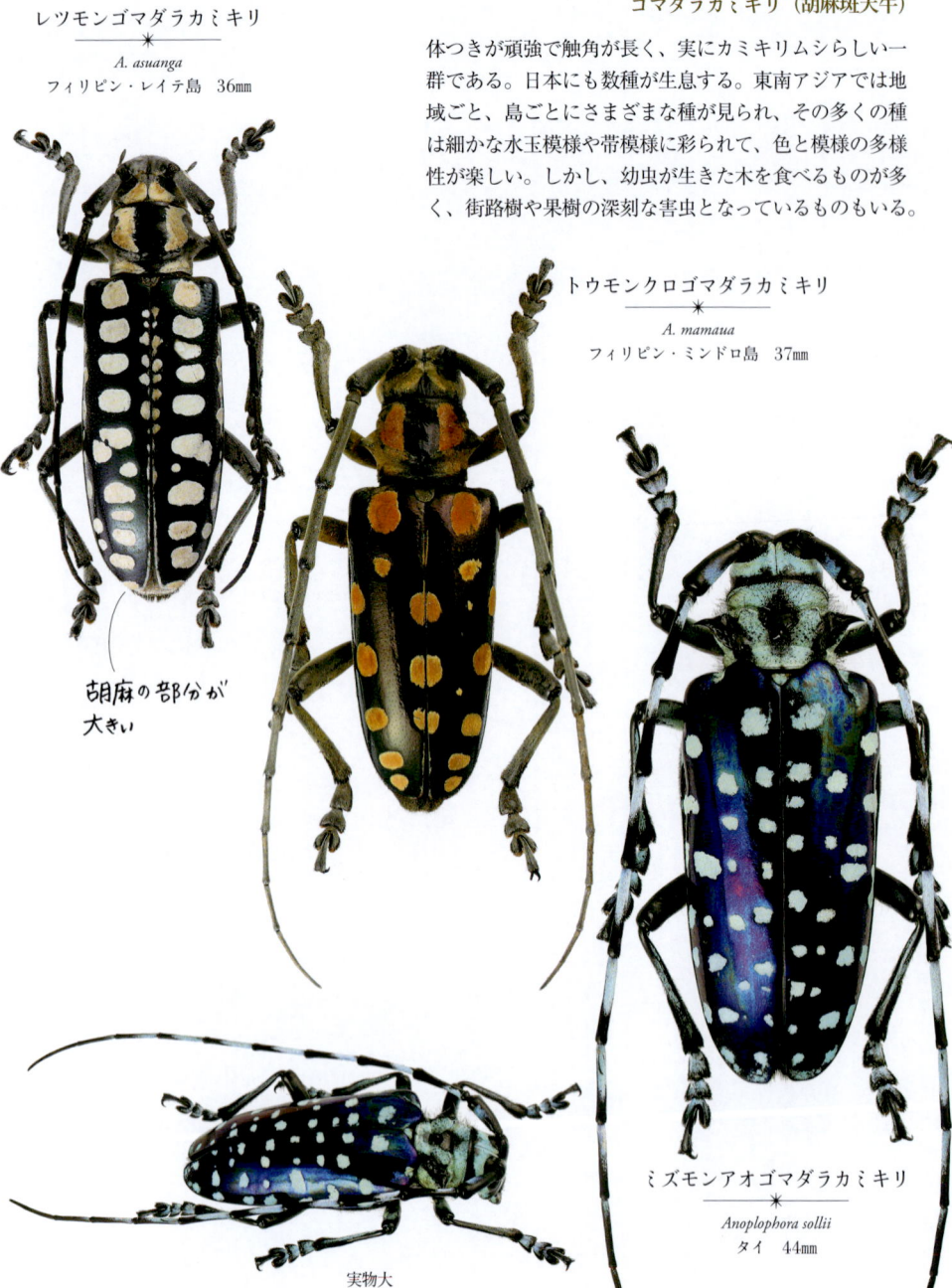

体つきが頑強で触角が長く、実にカミキリムシらしい一群である。日本にも数種が生息する。東南アジアでは地域ごと、島ごとにさまざまな種が見られ、その多くの種は細かな水玉模様や帯模様に彩られて、色と模様の多様性が楽しい。しかし、幼虫が生きた木を食べるものが多く、街路樹や果樹の深刻な害虫となっているものもいる。

レツモンゴマダラカミキリ
A. asuanga
フィリピン・レイテ島　36mm

胡麻の部分が大きい

トウモンクロゴマダラカミキリ
A. mamaua
フィリピン・ミンドロ島　37mm

ミズモンアオゴマダラカミキリ
Anoplophora sollii
タイ　44mm

実物大

堂々と風格のある姿。
触角の根元も太く
しっかりしている

模様が顔のようにも見えてくる

キモンゴマダラカミキリ
A. horsfieldii
台湾　36mm

ムラサキゴマダラカミキリ
A. fruhstorferi
ベトナム　39mm

実物大

ハデツヤオオゴマダラカミキリ
A. albopicta
台湾　48mm

71

湿原に光る朝露
ネクイハムシ（根喰葉虫）

ヨーロッパから日本、北米大陸を中心に、北半球の冷涼な地域に生息するハムシのなかまである。幼虫が水草の根を食べることからこの名がある。成虫は春から初夏にかけて出現し、湿原や池畔の水草の水上部や花に集まる。小型ながら上品な輝きで、そのようすは湿原の草に光る朝露のようである。

ブロンズに青緑の光沢を少し

クロガネネクイハムシ
D. flemola
日本・長野県　7.5mm

光って見える黒・烏羽色

キンイロネクイハムシ
Donacia japana
日本・島根県　8.9mm

実物大

コウホネネクイハムシ
D. ozensis
日本・長野県　9mm

ブロンズに緑の縁取り

スゲハムシ
Plateumaris sericea
日本・長野県　9.1mm

艶のあるくすんだ赤・溜色

アカガネネクイハムシ
D. hirtihumeralis
日本・岩手県　9.5mm

真夜中の青・ミッドナイトブルー

ガガブタネクイハムシ	イネネクイハムシ	ヒラシマネクイハムシ
D. lenzi	*D. provostii*	*P. weisei*
日本・山口県　8mm	日本・新潟県　8.8mm	日本・北海道　8.3mm
暗い紫にかすかな緑の縁取り	濃い赤みのある茶・蒲色（がばいろ）	濃い赤みの紫・アメシスト

オオネクイハムシ	オオネクイハムシ	オオネクイハムシ
P. constricticollis babai	*P. constricticollis constricticollis*	*P. constricticollis constricticollis*
日本・新潟県　10.8mm	日本・青森県　9.9mm	日本・岩手県　10mm
わずかに紫がかった青・紺青（こんじょう）	暗く緑がかった青・鉄色	イセエビのような暗い茶・海老茶

見事な太ももを武器に
コガネハムシ（黄金葉虫）

東南アジア、ニューギニア、オーストラリア、アフリカ、マダガスカルに生息する。小型種の多いハムシのなかまでは、大型かつ重厚で、雄の後脚は長く発達し、腿節が太くなる。まるでカエルのようでもある。この脚は雄同士の戦いに使われることがわかっている。マメ科やアオイ科の植物を好むものが多く、幼虫は茎の内部に侵入してその中を食べる。

腿節

シワバネコガネハムシ
S. rugulipennis
ニューギニア　27㎜

マグマや太陽フレアを連想させる火柱のような模様

ニジモンコガネハムシ
S. buqueti
マレーシア　33㎜

カタビロコガネハムシ
Sagra cf. *chrysochlora*
マレーシア　25㎜

実物大

74

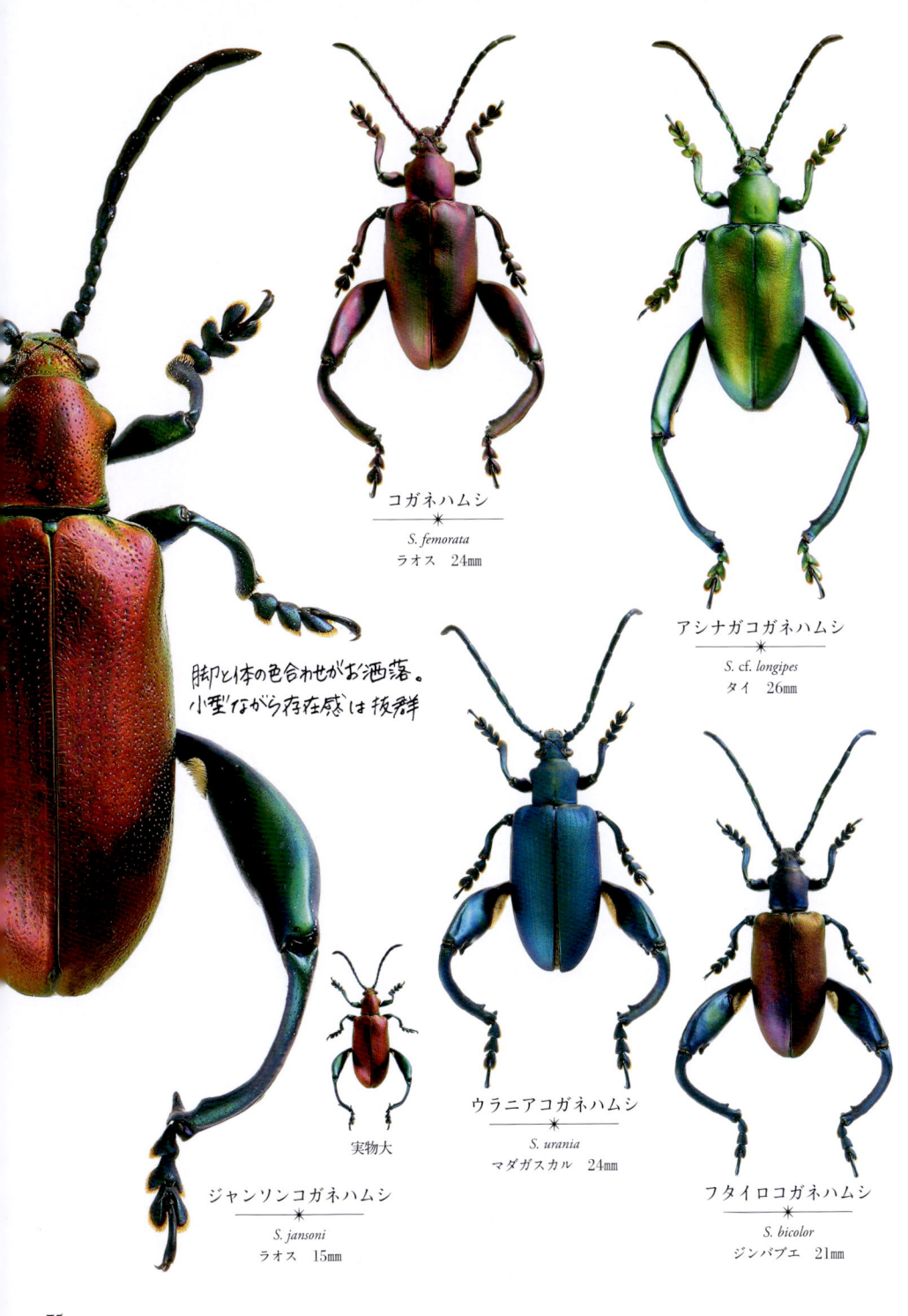

コガネハムシ
S. femorata
ラオス　24㎜

アシナガコガネハムシ
S. cf. longipes
タイ　26㎜

脚と体の色合わせがお洒落。
小型ながら存在感は抜群

実物大

ジャンソンコガネハムシ
S. jansoni
ラオス　15㎜

ウラニアコガネハムシ
S. urania
マダガスカル　24㎜

フタイロコガネハムシ
S. bicolor
ジンバブエ　21㎜

Column
きらめく甲虫とヒト

本書の目的として、ひたすらに美しい甲虫、そのなかでもとくにきらきらと光り輝くものを厳選して図示した。これらの他にも美しい甲虫はたくさんいるが、読者のみなさんがきっと驚きをもってその美しさに感動するであろうものを、多少は筆者の好みもまじえ、選定した。

これらの甲虫は美しいがために、古くから多くの人々の心を惹きつけてきた。昆虫採集や収集を趣味とする人にとってはとくに魅惑的な存在で、オサムシやカミキリムシなどは収集家が多く、各地で採集され、世界中で標本が売買されている。

こう聞くと、なんと罪深いことが行われているのかと嘆く人もいるかもしれない。しかし、人類のさまざまな知見の基礎となった博物学は、このような行為の上に成り立っているのである。そして今でも、さまざまな甲虫の新種発見の裏側にあるのは、このような収集家のあくなき欲求であり、先んじて目新しいものを見つけようという探求力である。具体的には、世界中で毎年何千という甲虫の新種が発表されているが、実はその発見の大部分は趣味で昆虫を採集している人々の手によるものである。見つかれば、その種を保護する第一歩にもつながるし、逆にどこにどんな種がいるかがわからなければ、何も始まらない。その点で、発見するという行為は偉大であると言える。

「採り過ぎると減ってしまわないか」という心配もあるかもしれない。たしかに、生息地が極端に限られている場合には、それもありえるし、実際に収集家が昆虫の生息数に影響を与えた過去もある。しかし、大多数の昆虫に関しては、生息環境がしっかりと残っている限り、採集者によって昆虫が採り尽くされる

博物学に貢献する標本（九州大学総合研究博物館蔵）

タイ北部の山奥で調査中の筆者と地元の子供

ようなことは決してない。

それよりも大きな問題は、昆虫の生息環境が世界規模で減少していることである。近年では多様な昆虫を擁する熱帯雨林の破壊がとくに激しい。森がなくなることは生息地の消失であり、その場所での絶滅を意味する。そしてその原因が実は私たちの日常生活にあることはあまりにも知られていない。

例えば近年の東南アジアの熱帯雨林伐採は、その大部分がヤシ油を採るためのアブラヤシの植林を目的としている。そのヤシ油は、私たちが普段使う洗剤や加工食品にふんだんに使われている。また、私たちが日常的に使うコピー用紙も、熱帯雨林を切って作られたものが大半である。それらを消費する行為が森林破壊に加担していることを知っておくべきだろう。採集者は自らの行為を常に顧みて、最低限の採集を心がけなければならないが、実は消費者こそ、採集者の比ではない数の昆虫を自らの手で直接下さずに葬っているのである。

筆者は毎年マレーシアを訪れているが、行くたびに各地の熱帯雨林がヤシ園に変貌するのを目の当たりにし、色を失っている。去年まで高い木の梢に美しいタマムシが飛んでいた場所が、ヤシの苗木が規則正しく並び、多くの昆虫にとって不毛なただの畑になっているのだ。本書に登場する甲虫の大部分は熱帯雨林に産するものであるが、実際、それらの生息地の多くが毎年失われている。

本書に登場する甲虫がいつまでもすみ続けられるような環境が残ってほしいものである。たとえ遠く手のおよばない場所であっても、私たちの考えの変化の積み重ねが何かにつながるかもしれない。本書によって、せめてこれら愛らしい甲虫の存在を知ってもらえれば幸いである。

タイの熱帯雨林でくらすコガネハムシ *Sagra femorata*
© 林 正和

ジャングルが切り開かれ、ヤシの苗木が植えられている
© 小松 貴

Julodis cirrosa hirtiventris
アカゲケブカフトタマムシ ……… 38
J. faldermanni
ムネモンケブカフトタマムシ ……… 39
Megaloxantha bicolor luodiana
ヒゲナガオオルリタマムシ ……… 33
M. mouhotii
ヒラコブオオルリタマムシ ……… 34,47
Metaxymorpha nigrofasciata
クロオビハデムカシタマムシ ……… 40
Polybothris auriventris
キンモンテントウカワリタマムシ ……… 42,47
P. aurocyanea キンマダラカワリタマムシ ……… 43
P. auropicta
ツマアカテントウカワリタマムシ ……… 43
P. expansicollis
コガタミミズクカワリタマムシ ……… 43
P. navicularis ホシボシカワリタマムシ ……… 42
P. sumptuosa ニシキカワリタマムシ ……… 42,46
Sternocora aequisignata ミドリフトタマムシ ……… 39
S. chrysis チャイロフトタマムシ ……… 38,47,49
S. feldspathica ムラサキフトタマムシ ……… 38,46
S. pulchra アラメミドリフトタマムシ ……… 38
S. syriaca シリアフトタマムシ ……… 39
Stigmodera macularia
ムネムラサキアラメムカシタマムシ ……… 41
S. roei アカモンアラメムカシタマムシ ……… 40
S. sanguinosa キラリアラメムカシタマムシ ……… 40
Temognatha carpentariae
アカヘリムカシタマムシ ……… 41
T. suturalis アオムネムカシタマムシ ……… 41,46

● コメツキムシ科 Elateridae

Campsosternus cyaniventris
ハバビロオオアオコメツキ ……… 44
C. fruhstorferi
フルーストルファーオオアオコメツキ ……… 45
C. nobuoi ノブオオオアオコメツキ ……… 45
C. rutilans ニジモンオオアオコメツキ ……… 45
C. sp. アカミオオアオコメツキ ……… 44
C. sp. スジアカオオアオコメツキ ……… 45
C. sp. アイヒメオオアオコメツキ ……… 44
C. sp. ドウイロオオアオコメツキ ……… 45
C. vitalisianus
ムネモンチャイロオオアオコメツキ ……… 45

● ゾウムシ科 Curculionidae

Eupholus albofesciatus
シロオビホウセキゾウムシ ……… 61
E. bennetti カワリホウセキゾウムシ ……… 61

E. browni キラモンホウセキゾウムシ ……… 61
E. lorioe ヒトスジホウセキゾウムシ ……… 61
E. shoenherri ニシキホウセキゾウムシ ……… 60
E. sp. タテジマチャオビホウセキゾウムシ ……… 60
E. sp. フトキオビホウセキゾウムシ ……… 61
Pachyrhynchus amabilis
ウルワシカタゾウムシ ……… 59
P. argus アルゴスカタゾウムシ ……… 55
P. caeruleovittatus ソラスジカタゾウムシ ……… 58
P. cf. *amabilis*
シマシマウルワシカタゾウムシ ……… 58
P. cf. *amabilis*
スジモンウルワシカタゾウムシ ……… 59
P. cf. *amabilis*
ドウバネウルワシカタゾウムシ ……… 59
P. cf. *congestus* ハナカタゾウムシ ……… 55
P. cf. *dohrni* ニジモンカタゾウムシ ……… 52
P. cf. *gemmatus* ホウセキカタゾウムシ ……… 55
P. cf. *gloriosus* ヨコスジカタゾウムシ ……… 56
P. cf. *reticulatus*
アカアシアミメカタゾウムシ ……… 57
P. cf. *reticulatus* アカアミメカタゾウムシ ……… 57
P. cf. *reticulatus* アミメカタゾウムシ ……… 57
P. chlorites クロライトカタゾウムシ ……… 53
P. congestus coerulans
ミズモンカタゾウムシ ……… 53
P. congestus congestus ハナカタゾウムシ ……… 54
P. congestus pavonius ハナカタゾウムシ ……… 54
P. digestus アサギカタゾウムシ ……… 54
P. gloriosus カガヤキカタゾウムシ ……… 56
P. hirokii ヒロキカタゾウムシ ……… 59
P. inclytus イタシカタゾウムシ ……… 58
P. monilliferus クサリカタゾウムシ ……… 56
P. negrosensis ネグロスカタゾウムシ ……… 56
P. ochroplagiatus チャモンカタゾウムシ ……… 52
P. orbifer オビカタゾウムシ ……… 49
P. perpulcher perpulcher
ウツクシカタゾウムシ ……… 54
P. phaleratus ファレラカタゾウムシ ……… 56
P. pseudamabilis
ニセウルワシカタゾウムシ ……… 59
P. pulchellus カワユシカタゾウムシ ……… 58
P. reicherti ライヘルトカタゾウムシ ……… 53,55
P. sp. アカガネカタゾウムシ ……… 52
P. sp. オオカワリカタゾウムシ ……… 50,55
P. sp. カワリカタゾウムシ ……… 55
P. sp. トウスジカタゾウムシ ……… 55
P. sp. トウモンカタゾウムシ ……… 56
P. sp. ルパングカタゾウムシ ……… 53
P. taylori metallescens
ベニモンカタゾウムシ ……… 54

● カミキリムシ科 Cerambycidae

Anoplophora albopicta
ハデツヤオオゴマダラカミキリ ……… 71
A. asuanga レツモンゴマダラカミキリ ……… 70
A. fruhstorferi ムラサキゴマダラカミキリ ……… 71
A. horsfieldii キモンゴマダラカミキリ ……… 71
A. mamaua トウモンクロゴマダラカミキリ ……… 70
A. sollii ミズモンアオゴマダラカミキリ ……… 70
Aphrodisium cantori
カンターハデミドリカミキリ ……… 49,69
A. niisatoi ニイサトハデミドリカミキリ ……… 69
A. semignitum モエサシアオカミキリ ……… 68
Charmallaspis pulcherrima
ソメワケノコギリカミキリ ……… 67
C. smithiana スミスノコギリカミキリ ……… 67
Cheloderus childreni オオチリカミキリ ……… 64
Hileolaspis auratus
アカモンノコギリカミキリ ……… 67
Huedepohliana masidimanjuni
オオルリタマムシカミキリ ……… 68
Pachyteria ruficollis
ムネアカキンケアオカミキリ ……… 68
Praemallaspis leucaspis
ドウイロノコギリカミキリ ……… 67
Pyrodes nitidus
ブロンズノコギリカミキリ ……… 66
Schmidtiana testaceicornis
ハンゲアオカミキリ ……… 69

● ハムシ科 Chrysomelidae

Donacia flemola クロガネネクイハムシ ……… 72
D. hirtihumeralis アカガネネクイハムシ ……… 72
D. japana キンイロネクイハムシ ……… 72
D. lenzi ガガブタネクイハムシ ……… 73
D. ozensis コウホネネクイハムシ ……… 72
D. provostii イネネクイハムシ ……… 72
Plateumaris constricticollis babai
オオネクイハムシ ……… 73
P. constricticollis constricticollis
オオネクイハムシ ……… 73
P. sericea スゲハムシ ……… 72
P. weisei ヒラシマネクイハムシ ……… 73
Sagra bicolor フタイロコガネハムシ ……… 75
S. buqueti ニジモンコガネハムシ ……… 74
S. cf. *chrysochlora* カタビロコガネハムシ ……… 74
S. cf. *longipes* アシナガコガネハムシ ……… 75
S. femorata コガネハムシ ……… 75,77
S. jansoni ジャンソンコガネハムシ ……… 75
S. rugulipennis シワバネコガネハムシ ……… 74
S. urania ウラニアコガネハムシ ……… 75

標本写真の撮影について

本書に掲載した標本写真はすべて深度合成法で撮影しました。深度合成法とは、多数の写真を層状に撮影し、ピントの合っている部分だけをコンピュータソフトで1枚の写真に合成する方法です。本書に登場する金属光沢をもつ甲虫は、太陽光のもとで初めて自然な色を見せるため、撮影は困難をきわめました。種ごとに光の当て方と光の質を変え、野外で見たときのような自然な色合いと光沢の表現を目指しました。

甲虫の名前について

生物につけられる学名は世界共通で、1種につき1つの名前が割りふられます。しかし、日本に分布しない生物に日本語の名前をつけるのには特にルールがありません。本書で取り上げた甲虫は外国産のものが多く、日本語の名前がまだないものもあります。そこで、親しみをもっていただくために、それぞれに日本語の愛称をつけました。図鑑類に掲載されているものは、できるだけそこで示されている名前を使用しました。

学名索引

コウチュウ目（甲虫・鞘翅目）
Coleoptera

●コガネムシ科 Scarabaeidae

Chrysina adelaida ホソスジウグイスコガネ …… 13
C. aurigans ケンランキンコガネ …………… 13
C. chrysargyrea キンギンコガネ …………… 12
C. cupreomariginata ドウヘリキンコガネ …… 13
C. curoei アシグロキンコガネ …………… 12,49
C. optima プラチナコガネ ………………… 13
C. victorina マダラウグイスコガネ ………… 13
Coprophanaeus saphirinus
　サファイアニジダイコクコガネ ………… 15
Euchroea abdominalis freudei
　フトスジモンマダガスカルハナムグリ …… 11
E. auripimenta
　モンキマダガスカルハナムグリ ………… 10
E. clementi var. riphaeus
　ホソコモンマダガスカルハナムグリ …… 11
E. coelestis
　サザナミマダガスカルハナムグリ ……… 11
E. histrionica
　ソメワケマダガスカルハナムグリ ……… 10
E. urania
　ツヤサザナミマダガスカルハナムグリ …… 11
E. vadoni
　オオカノコマダガスカルハナムグリ …… 10
Ischiopsopha dives
　ディベスカタハリカナブン ……………… 9
I. gagatina ガガティナカタハリカナブン …… 8
I. jamesi var. coerulea
　アカオビカタハリカナブン ……………… 8
Lomaptera salvadorii
　サルバドールアトムネカナブン ………… 9
Mycterophallus dichropus
　ディクロプスノコバカナブン …………… 8
M. xanthopus イリアンノコバカナブン …… 9
Phanaeus amethystinus guatemalensis
　アメシストニジダイコクコガネ ………… 15
P. amithaon
　アミュタオンニジダイコクコガネ ……… 15
P. chryseicollis
　ムネミドリニジダイコクコガネ ………… 14
P. demon アクマニジダイコクコガネ ……… 15
P. floriger splendidulus
　ハナニジダイコクコガネ ………………… 15
P. quadridens ヨツバニジダイコクコガネ … 14
Poecilopharis femorata
　アカアシツヤマルハナムグリ …………… 9
P. ruteri ルターツヤマルハナムグリ ……… 8

P. truncatipennis
　アトキリツヤマルハナムグリ …………… 8
Sulcophanaeus imperator
　コウテイニジダイコクコガネ …………… 14
S. menelas メネラオスニジダイコクコガネ … 15
Theodosia viridiaurata
　カブトハナムグリ ………………………… 6

●クワガタムシ科 Lucanidae

Lamprima adolphinae
　パプアキンイロクワガタ ………………… 17
L. aenea アエネアキンイロクワガタ ……… 17
L. aurata aurata アウラタキンイロクワガタ … 17
L. aurata splendens
　アウラタキンイロクワガタ ……………… 16
L. insularis インスラリスキンイロクワガタ … 16
L. latreillei ラトレイユキンイロクワガタ … 16

●オサムシ科 Carabidae

Carabus (Acoptolabrus) gehinii gehinii
　オオルリオサムシ …………………… 26,27
Ca. (A.) gehinii konsenensis
　オオルリオサムシ ……………………… 27
Ca. (A.) gehinii munakatai
　オオルリオサムシ ……………………… 27
Ca. (A.) gehinii nishijimai
　オオルリオサムシ ……………………… 26
Ca. (A.) gehinii sapporensis
　オオルリオサムシ ……………………… 27
Ca. (A.) gehinii shimizui
　オオルリオサムシ ……………………… 27
Carabus (Chrysocarabus) auronitens auronitens
　コガネオサムシ ………………………… 23
Ca. (Ch.) hispanus
　ヒスパヌスコガネオサムシ …………… 23
Ca. (Ch.) lineatus lineatus
　イベリアコガネオサムシ ……………… 23
Ca. (Ch.) olympiae
　オリンピアコガネオサムシ …………… 22
Ca. (Ch.) rutilans perignitus
　ルーティランスコガネオサムシ ……… 22
Ca. (Ch.) solieri bonadonai
　ソリエールコガネオサムシ …………… 22
Ca. (Ch.) splendens
　スプレンデンスコガネオサムシ ……… 23
Carabus (Coptolabrus) augustus ssp.
　テイオウカブリモドキ ………………… 25
Ca. (Co.) fruhstorferi ツシマカブリモドキ … 25
Ca. (Co.) ignimitella ssp.
　オオコブカブリモドキ ………………… 25

Ca. (Co.) lafossei ssp. シナカブリモドキ …… 25
Ca. (Co.) nankotaizanus miwai
　タイワンカブリモドキ ………………… 24
Ca. (Co.) pustulifer mirificus
　イボカブリモドキ ……………………… 24
Ca. (Co.) smaragdinus branickii
　アオカブリモドキ ……………………… 24
Carabus (Procerus) scabrosus schuberti
　イボハダオサムシ ……………………… 20
Catascopus agnathus
　セラムアトバゴミシ …………………… 31
C. cupripennis ドウバネアトバゴミシ …… 31
C. facialis コアオアトバゴミシ …………… 31
C. igninctus キンヘリアトバゴミシ ……… 30
C. laotinus ラオスオオアトバゴミシ …… 30
C. presidens ニジモンアトバゴミシ …… 30
C. regalis ニシキアトバゴミシ …………… 31
C. sauteri ザウターアトバゴミシ ………… 30
C. vollenhoveni
　ボーレンホーベンアトバゴミシ ……… 31
Ceroglossus chilensis angolicus
　チリオサムシ …………………………… 29
C. chilensis colchaguensis チリオサムシ … 29
C. chilensis ficheti チリオサムシ ………… 28
C. chilensis latemarginatus チリオサムシ … 28
C. chilensis mochae チリオサムシ ……… 28
C. chilensis solieri チリオサムシ ………… 29
C. chilensis villaricensis チリオサムシ …… 29
C. magellanicus caburgansis
　マゼランチリオサムシ ………………… 29
C. ochsenii オクセンチリオサムシ ……… 28

●タマムシ科 Buprestidae

Apateum zivettum
　キマダラカワリタマムシ ……………… 43
Calodema ribbei
　キオビオウサマムカシタマムシ …… 41,46,49
Catoxantha nagaii
　ティオマンハビロタマムシ ………… 37,49
C. opulenta
　オオハビロタマムシ …………………… 33
Chrysochroa buqueti
　キバネツマルリタマムシ …………… 37,47
Ch. fulgens ephippigera
　フトオビハデルリタマムシ …………… 19
Ch. fulgidissima
　タマムシ（ヤマトタマムシ） ……… 36,46
Ch. limbata キベリルリタマムシ ………… 36
Ch. margotana
　ノバクフタキオビルリタマムシ ……… 37
Ch. saundersii キオビルリタマムシ ……… 37

謝辞

有本晃一（九州大学）
伊藤　昇（川西市）
井村有希（横浜市）
上野高敏（九州大学）
大桃定洋（阿見町）
柿添翔太郎（九州大学）
鳥山邦夫（カトリック鯛ノ浦教会）
小松　貴（九州大学）

鈴木　亙（世田谷区）
田中久稔（早稲田大学）
辻　尚道（九州大学）
林　成多（ホシザキグリーン財団）
林　正和（バンコク市）
福井敬貴（多摩美術大学）
星野光之介（九州大学）
堀　繁久（北海道博物館）

松村洋子（慶應義塾大学）
南　雅之（武蔵野市）
宮下　圭（パイネ）
山迫淳介（東京大学）
吉田攻一郎（墨田区）
吉武　啓（農業環境技術研究所）
Gérard Luc Tavakilian（パリ自然史博物館）
Eduard Vives（スペイン・バルセロナ）

著者紹介

丸山　宗利（まるやま　むねとし）

1974年東京都出身。北海道大学大学院農学研究科博士課程修了。博士（農学）。九州大学総合研究博物館助教。大学院修了後、日本学術振興会の特別研究員として3年間国立科学博物館に勤務。2006年から1年間、同会の海外特別研究員としてアメリカ・シカゴのフィールド自然史博物館に在籍。08年より現職。アリと共生する好蟻性昆虫が専門。シカゴ在任中に深度合成写真撮影法に出会う。現在、研究のかたわら、さまざまな昆虫の撮影も行っている。著書に『ツノゼミ ありえない虫』（幻冬舎）、『昆虫はすごい』（光文社新書）、『アリの巣をめぐる冒険』、共著『アリの巣の生きもの図鑑』、編著『森と水辺の甲虫誌』（いずれも東海大学出版会）など。

調査の空き時間には必ず釣りを楽しむという著者。ペルーにて

標本写真　丸山宗利
写真提供　小松　貴、林　正和
撮影協力　九州大学総合研究博物館
同定監修　井村有希（オサムシ）、伊藤　昇（アトバゴミムシ）、上野高敏（ハナムグリ）、大桃定洋（タマムシ）、
　　　　　鈴木　亙（コメツキムシ）、林　成多（ネクイハムシ）、吉武　啓（カタゾウムシ）、山迫淳介（カミキリムシ）
　文　　　丸山宗利・佐藤　暁
構　成　　ネイチャー＆サイエンス
デザイン　鷹觜麻衣子
書き文字　Rei
製　版　　石井龍雄（凸版印刷）
　　　　　坂本紫萌（トッパングラフィックコミュニケーションズ）
編　集　　前田香織（幻冬舎）

きらめく甲虫

2015年7月10日　第1刷発行
2019年7月10日　第5刷発行

著　者　　丸山宗利
発行者　　見城　徹
発行所　　株式会社 幻冬舎
　　　　　〒151-0051　東京都渋谷区千駄ヶ谷4-9-7
　　　　　電話　03-5411-6211（編集）　03-5411-6222（営業）
　　　　　振替　00120-8-767643
印刷・製本　凸版印刷株式会社

検印廃止

万一、落丁乱丁のある場合は送料小社負担でお取替致します。小社宛にお送りください。
本書の一部あるいは全部を無断で複写複製することは、法律で認められた場合を除き、著作権の侵害となります。
定価はカバーに表示してあります。
©MUNETOSHI MARUYAMA, NATURE & SCIENCE, GENTOSHA 2015
ISBN978-4-344-02786-2　C0072
Printed in Japan
幻冬舎ホームページアドレス　https://www.gentosha.co.jp/
この本に関するご意見・ご感想をメールでお寄せいただく場合は、comment@gentosha.co.jpまで。